重新看見自己

吳淡如

目錄 CONTENTS

PART 1 用行動，發現新潛力

如果沒有自信，找不到任何人生樂趣，只把自己的快樂建立在別人怎樣看自己，整個人變得假假的，或者變得「生人勿近」，人際關係只會越來越差。

目錄 Look Inside

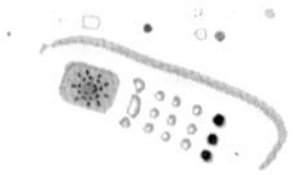

PART 2 講原則，愛得有創意

感情好像是一間很小的房子，它能夠放進去的家具實在不多，不肯送舊，很難迎新。還有，如果你想新舊並蓄，要的太多，常是一轉身就會撞到桌角。

Look Inside 目錄

目錄 Look Inside

PART 3
以尊重，常保真情義

失去了平衡，愛的無微不至，就變成了煩；好事做盡，變成愛管閒事。愛，到底要讓你愛的人在兩性關係中找到他的長處，他可以發揮的地方。

Look Inside 目錄

PART 4 有計畫，發現生命力

理想可以分段實現。一步一步往前走的人，一回頭往往也會驚訝，自己什麼時候已經走過萬水千山，當初最難爬的第一個山尖，在眼中，竟然只是一個小小的土丘？

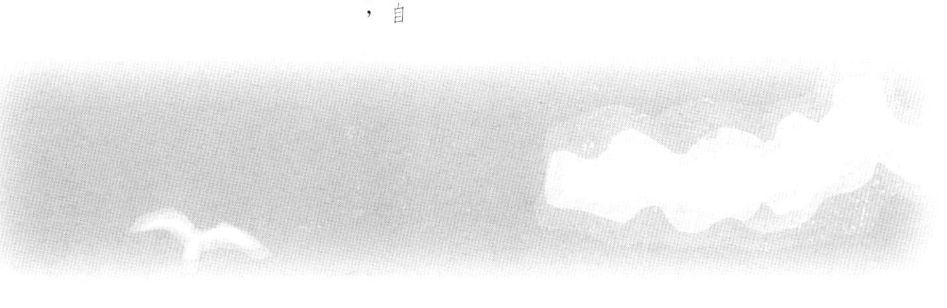

目錄 Look Inside

自序

看見自己，看見生命力

吳淡如

我總是希望有個讓人如釋重負的開場白，不要讓任何人對書太敬畏、太疏離，所以，我們先來玩個遊戲吧！

有句名言說，許多想拯救世界的人，卻不知道在下著雨的星期天午后可以做些什麼。

我們的遊戲，就從下著雨的星期天午后開始。

1.你穿著便服，和朋友約看電影，時間還早，便在街上閒晃，走著走著，有個推銷員纏上你了，他想賣你一種新的洗臉用品，價格還算合

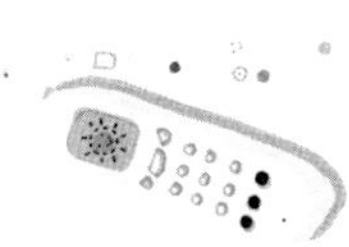

理，但他一開始就批評你的皮膚有問題，你會採取什麼態度？

a.當他不存在，調頭不理

b.狠狠瞪他，請他自己照照鏡子

c.有點心動，聽他說下去

d.打定主意不買，但聽他講完，讓他白費唇舌

e.掏錢快買下，覺得他蠻辛苦的

2.今天遇到的閒雜人等還不少哩！忽然間，有個穿西裝打領帶的陌生人，拿著相機近距離對你拍照，並且迅速的走開，你會：

a.追上前去，如果他說不出理由，就請他交出底片

b.不予理會，心想他可能不是在拍你

c.暗罵他神經病，自己也迅速離開

d.覺得他一定有某種目的，不然就是誰找人來惡作劇

e.認為他是星探

3.到了電影院，朋友打行動電話給你，請你先買兩張電影票。買好票時你不小心把手提包弄掉了，東西攤了一地，你會第一個撿起來的是：

a.錢

b.鑰匙

c.身分證

d.電影票

4.進場時間已經過了五分鐘，朋友竟然還沒來，打電話給他，他竟然還在賴床，電影票買了是不能退的，此時你會：

a.自己一個人先進去看，自認倒楣

b.自己一個人先進去看，但一定會跟他索賠，請求補償

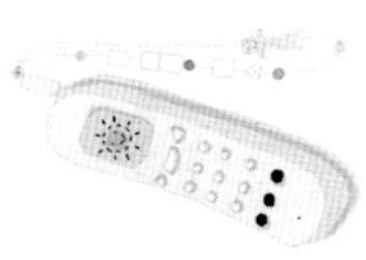

c.不看了，自認倒楣回家去

d.等他來，把他大罵一頓

e.還是等他來一起進場，接受他的道歉

5.運氣好像不怎麼好，你想吃冰消消氣，但吃到一半在冰裡發現一隻蚊子，你會：

a.把它弄掉，繼續吃

b.請老闆過來看，換一碗

c.悶不吭聲的走掉

等等！如果你發現的是蒼蠅呢？我想你大概沒法子繼續吃了，你的態度會改變為：

a.提出抗議

b.悶不吭聲

這些測驗，是我平日無事時自己設想的「迷宮」遊戲，希望拉進你和我這麼一個喋喋不休的寫作者的距離，就把它當成看這本書前「飯前洗手」的動作吧！

我們來看看答案

1.測試你的自我肯定度到什麼地步？

a.當他不存在，調頭不理——相當有主見，主觀很難改變，認為自己是擇善固執，就不理會旁人看法。

b.狠狠瞪他，請他自己照照鏡子——不管對錯，只要你認為是對的，

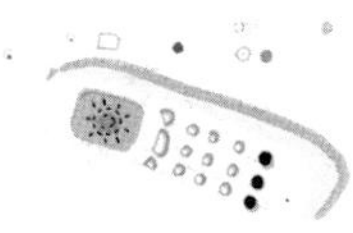

誰都改變不了你。有時會感到自己和周遭格格不入，因為你很難容納不同的意見。

c.有點心動，聽他說下去——溫文儒雅的乖乖牌，從善如流，沒什麼主見。

d.打定主意不買，但聽他講完，讓他白費唇舌——陽奉陰違，習於把別人的意見當耳邊風，已經「痞」極泰來了。

e.掏錢快買下，覺得他蠻辛苦的——耳根子軟，任何人的意見都足以左右你，你在乎每一個人的肯定，活得蠻辛苦的。

2.遇到小人時，你會：

a.追上前去，如果他說不出理由，就請他交出底片——除惡務盡，絕不容小人擋路，非把他揪出來不可。

b.不予理會，心想他可能不是在拍你——認為自己行得正坐得直，不

認為自己會有什麼把柄落在人家手裡。

c. 暗罵他神經病，自己也迅速離開——總是可以發現誰是惹麻煩的傢伙，然後敬而遠之，心想不招惹他就沒事。

d. 覺得他一定有某種目的，不然就是誰找人來惡作劇——疑心病重到認為身邊都是小人，很難信任別人。

e. 認為他是星探——太天真了，是被賣了還幫人數鈔票的類型。

3. 第一個撿起來的東西，代表你對未來最大的期許：

a. 錢——經濟無虞。

b. 鑰匙——家庭和樂。

c. 身分證——知名度信用度夠。

d. 電影票——度假度個夠，及時享樂。

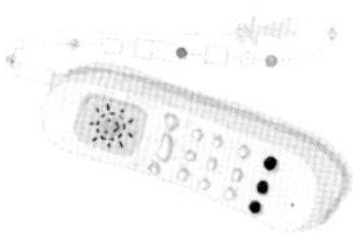

4. 情人的表現越來越走樣，你會：

a. 自己一個人先進去看，自認倒楣——獨立性強，他若不好你就換人，沒啥好談。

b. 自己一個人先進去看，但一定會跟他索賠，請求補償——不但不介意換人，還要撈夠本，讓他嚐點苦頭。

c. 不看了，自認倒楣回家去——獨立性不高，不願主動說再見，怨恨容易經年累月的累積。

d. 等他來，把他大罵一頓——企圖改變他，變成你要的樣子。不過你得記得，教豬唱歌，你會很不高興，豬會更不高興。

e. 還是等他來一起進場，接受他的道歉——任勞任怨，好死歹活也會從一而終。

5. 工作時，你若受到委屈：

a.選擇弄掉蚊子繼續吃，發現蒼蠅就會抗議的人——如不到超出底限，絕不反彈，相當識時務，看臉色行事。

b.不管是蚊子或蒼蠅，一定請老闆過來換一碗的人——不管大事小事，總是據理力爭，絕不吃虧，但要小心，過度反彈會使你成為頭痛人物。

c.不管蚊子或蒼蠅都悶不吭聲的走掉——沒有學會表達自己的意見，待在哪個工作都覺得自己不被重視。

d.看到蚊子繼續吃，發現蒼蠅也繼續吃的人——這也太扯了！不過也有好處啦。神經大條到百毒不侵，第二天就忘了自己為什麼事難過，無入而不自得。

e.看到蚊子抗議，看到蒼蠅卻無所謂——會有人選這個答案嗎？我看，你還是別看這本書，先看精神科吧！

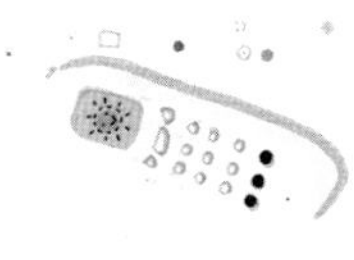

◆ 生活中總有許多問題。

其實，沒有任何問題單純是外在的問題。自己總有一點責任。

如果一個問題會困擾你，你必然也在潛意識中說了「歡迎光臨」這句話，使它登堂入室來。不然，它不會在你的腦海裡做客做了這麼久。

最近，接到一位朋友的哀怨傾訴。她說她本來快要結婚了，但她交往七年的男友竟然在訂婚前夕很鎮重的問她：

「妳婚後會睜一隻眼閉一隻眼吧？」

什麼意思？她沒聽懂，他索性明白著講：「如果我有小老婆，妳不會有意見吧？」這什麼時代了？該男子不到三十歲，竟然有這種可怕的「封建思想」？他以為他是西門慶？我聽了都替她生氣。

她也很生氣，調查之下，她才發現男友早已有了一個新女友，只是覺得娶她比較「有保障」，所以願意實現承諾。我實在不願意幫任何人當愛情軍師，但她是我的摯友，聽到這種不平等事件時，我再也沒辦法心平氣和。我請她冷靜想想，這男人真的天真糊塗不諳世事得太離譜了（對我來說，這簡直是把無賴當成誠實），婚前已有這麼大的問題，她還要嫁給他嗎？

她吞吞吐吐支開了主題，說：「是不是我抱獨身主義比較好？」

我並不知道她的最後答案。讓壞情人出局，可不等於抱獨身主義。

後來想想，其實，朋友本身不是沒問題。

她竟然可以讓交往這麼久的男人認為，跟她提出「我要有小老婆喲」這種要求，她會有接受的可能？

原來，多年來分分合合多次，都是男人回頭找她，說「還是妳對我比較好」。

她平素一定也表現出太「有容乃大」的樣子，才會受到這樣的欺侮。

有原則，別人才會尊重你。

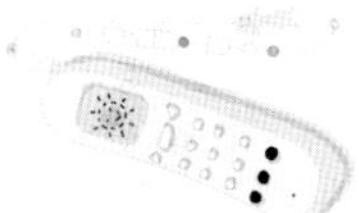

我倒覺得要緊的不是要不要結婚的問題，而是，要不要誠懇的面對自己。

如果自己不知道，自己的尺度和原則在哪裡，那麼，誰也不會知道的。

日日相守的旁觀者未必「清」，如果不了解自己，誰能真正了解你？

你打從自己一出生，就和自己相處，但是，你了不了解自己呢？

總有許多來自於傳統、習慣、人性、愛情或欲望的雲霧，遮住我們的眼睛，使我們看不見自己。

每個人的心都是一口井。井底總有青苔，在陽光探不進來的陰溼處成長。

承認自己的問題，等於看清了一半。

剩下的一半，就要交給行動力了。

幫助自己看見自己，是我們能給自己最好的禮物。這樣的禮物，一生受用，且一旦持有，生命力就不再被遮蔽！

Part 1

用行動，發現新潛力

如果沒有自信，找不到任何人生樂趣，只把自己的快樂建立在別人怎樣看自己，整個人變得假假的，或者變得「生人勿近」，人際關係只會越來越差。

從小態度開始變

所有的天分都在使用中增加。

——白朗蒂（英國知名小說家）

在一個針對女性朋友的演講會後，邀請我來演講的女孩對我說，她的男友老實、誠懇、聽她的話，在一般人眼中雖然不屬上上之選，但她知道，要找到肯這樣對她好的男人，也不是容易的事情。

可是她也隱隱覺得，如果按照兩人的模式相處下去，一點也不能令她滿意，她渴望的愛情好像不是這個樣子。

我不是她，不能了解她面臨的問題；沈思的時候，行動電話響了，是我的男友打電話來的，他臨時因公開會，無法按照原先的時間來接我。

「嗯，沒關係，不要緊，我可以叫車回去。沒關係的。」我微笑道，簡短的結束了電話，對眼前這位漂亮女孩解釋，我得到門口去叫車，如果她不介意的話，可以陪我等車嗎？

她很驚訝的看著我：「你們剛認識？」

「不是，很久了。」

「他不能來接妳，妳都用這樣的態度微笑回答嗎？妳不生氣？不是因為在公眾場合，妳才保持這種態度吧？」

她的問題也讓我驚訝。我當然不生氣，現代人的生活中，有許多突發狀況，他又不是故意不來接我的，我怎能生氣？換個角度想想，如果我有公事耽誤了約定時間，我也不希望看到一個臭著臉、等著對我興師問罪的男人。

「對不起，我的電話打斷了妳說話。妳請繼續……」我們緩步走著，向門口移動，她若有所思的說：「我沒什麼要說的，我知道了。」

在枝微末節處做體貼一點的改變，常會得到意想不到的結果。

小改變，相處的情調不一樣

過了一個月，又與她巧遇，她對我說，她的狀況比以前好很多。

「他家住在淡水，我家住在南勢角，一南一北，他來接我，已經算勤快了。以前打電話要他來接，他一有遲疑的語氣，我就很不高興，說：哼，那就算了。掛了電話之後，心裡恨得癢癢的，覺得他沒有像追我時那麼殷勤，什麼東西嘛！有一次同樣的狀況發生時，我忽然想學妳說話的樣子，用不疾不徐的語氣對他說：沒關係，你忙你的，我自己會注意安全，叫車回家。他沒聽過我這樣說話，在電話那頭，反而緊張得說不出話來。那天我回到家後，過了一個小時，他竟然到我家來找我，問我：妳還好嗎？對不起，我在加班，所以沒辦法馬上去接妳！我才知道，平常我給他多大的壓力……他告訴我，他聽到我說沒關係時，緊張得全身冒冷汗，以為我吃錯藥了，怎麼沒生氣？」

看著她開朗的笑臉，我知道，她的戀愛談得很愉快。

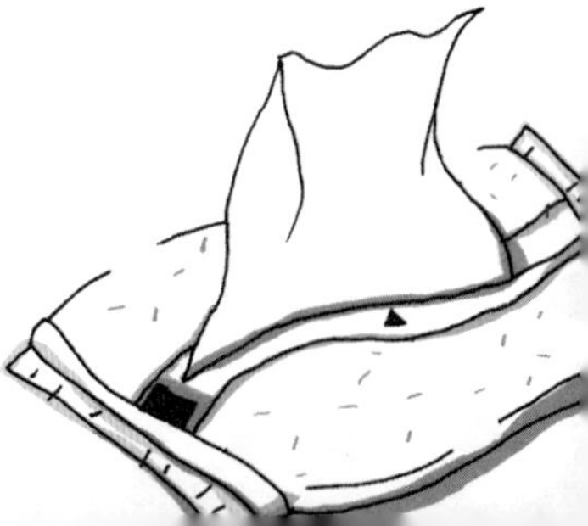

只是態度上的小小改變，相處的情調就會柔美起來。

很多人有這樣的經驗：不斷的遇到一些有感情困擾的人，叨叨投訴著自己所受到的不平等或不合理態度。有時，我很難從這些抱怨中找到一個可以說聲「哦……」的小空隙；而我也漸漸明白，他們提出的問題，再明智的答案也無法滿足他們的需求，因為他們有個共通點：只巴望著別人的改變，自己從來不想做任何的變化。

如果你熱心的提供建議，馬上聽到「可是……」這兩個字的話，還是不要太浪費口舌說下去，也不要很誠實的說：「這個問題其實很容易解決的啊！」來否定他的痛苦。這樣一來，他會以為你在暗諷他的愚蠢，必然也會不歡而散。

想當一個善體人意的人的話，唯一能做的，只是以同情的眼光傾聽他的傾訴而已。

除非自己先做改變，否則關係會永遠不變。

感情世界，不可能以力服人。一個人如果不想在現在改變自己，只

除非自己先做改變，否則關係永遠不會變。

想改變別人，永遠不會得到不一樣的未來。在兩人相處過程中，如果能夠稍微改變自己一下，一點點設身處地的著想，在枝微末節處體貼一點，常會得到意想不到的結果。

人際關係變好很簡單

微笑是世界上最受歡迎的語言。

——Max Isman

有些年輕讀者的來函，真是令人吃驚。

「我是位國小學生，自從看了你的書之後，心情變得很好，因為這之前我不知道為什麼，一直不想說話，討厭自己，也厭惡別人……直到有一天姐姐拿你的書給我看……」

我很感激她的賞識，可是，她不過是一個國小學生，應該還在我們想像的「快樂童年時期」，先前怎麼會對自己和人際關係那麼絕望呢？

對人際關係絕望的人還真不少。有一位國中生是這麼寫的：「我覺得一天比一天難過，我發現我身邊的朋友越來越少了，我在學校的名氣

動不動就恨別人的人，通常是沒有自信的人。

也越來越低，偶爾去找老師聊天，卻被同學當成報馬仔，還有人說我自大傲慢像白癡，我覺得不是，又不敢說出口，怕說出口會引起大家的反感，我好恨自己生在這個時代……」

滿紙悲憤的他，到底想活在什麼時代呢？沒有一個時代比這個時代更舒適、安穩、自由了。

微笑是最簡單的方法

「恨別人也恨自己」的，當然不只是「小朋友」而已，活得越大，人際的煩惱越多。如果沒有自信，找不到任何人生樂趣，只把自己的快樂建立在別人怎樣看自己，整個人變得假假的，或者變得「生人勿近」，人際關係只會越來越差。

我發現，容易動不動就恨別人的人，通常是沒有自信的人，因為對自己生的氣無處發洩，趕快在別人身上找個缺口送出去，於是滿口怨

言，對全世界都不滿意。

從開始唸書以來，我們被迫背的東西多如牛毛，卻從來沒有人啓發他們，找點生活樂趣，讓你喜歡自己，只能靠著外在的毀譽來滋補自己的靈魂，每天被各種情緒左右。遺憾的是，早熟的孩子在還不確定自己是誰、沒嚐過快樂的滋味時，憤世嫉俗的性格已經形成了。

人們建立自己的性格，是為了保護自己不受外界的傷害。為了免於傷害，常常成了拚命為自己蓋監獄的囚犯，明明也不想把自己幽禁起來，監獄卻不自覺的蓋得太快。

有些人在「長大」之後會因為各種磨練而改變，但「解放自己的能力」比較差的人，卻還一直待在自己蓋的監獄裡。他們很想出去，和外頭的歡笑聲打成一片，但總是默默的告訴自己「人心險惡」「他對我好一定是有目的」「我一定會受到傷害」。他們涉世不深，但又一點兒也不天真。

大家都渴望擁有真誠的人際關係。最簡單的方法，莫過於微笑。所有受歡迎的人，總是那些時時帶著親切微笑的人。微笑自然而然的提供了一種能量，使人願意靠近你。虛偽的人只在有所求時才微笑，心胸狹窄的人只對認識或喜愛的人才微笑，那並不是動人的微笑。你可以先學著對自己微笑。微笑捎來一種訊息：你真心喜歡所在的世界，外在世界必會喜歡你。

微笑需要練習。一個嘴角不自覺也會上揚的人，必是受歡迎的人；一個嘴角不自覺往下掉的人，常常不自覺的親友斷絕。外在世界是一面鏡子，你開心，就會看到一張一張開心的臉。

怎樣講話討人愛？

你的談話就是你的廣告。

——馬克吐溫

諷刺長舌婦的笑話，總是很多。

在酒吧裡，兩個上班族男人在聊天。

「你幹嘛喝這麼多酒？心情不好嗎？」

「對啊，跟老婆吵架，老婆一個月不跟我說話。」

「那不是很好嗎？如果我老婆一個月不說話，我的耳朵就可以好好度個假！」

「是啊。但今天已經是一個月的最後一天了！」

在接廣播叩應的時候，幾乎可以在五秒鐘內判定，哪一個人說的話

一個說話高手、真正的「解語花」，必能解除尷尬。

會使看不見的地方的人們傾聽，哪一通電話會讓聽眾們想要馬上轉台。

對於一個廣播節目主持人而言，我當然希望前者多講一點，也會為大家的耳朵謀福利，企圖把大家不想聽的那一通趕快掛掉。

不能觸犯的說話禁忌

怎樣說話討人愛？

最重要的還是聲音的表情。不慌不忙、撒嬌似的聲音，當然比嚴峻冷漠或急於陳情的聲音容易令人接受。如果自忖口才不好，更應該慢慢講。

開頭馬上就講故事的人，也比一開頭說了一大堆理論來得吸引人，讓人覺得他很真誠，不是來勢洶洶，只想訓話。

別一直在你認為是重點的句子上徘徊，以為別人沒聽懂，即使是笑話，重複了兩次，人家也覺得不好笑了。最好把之後的情節帶出來，別

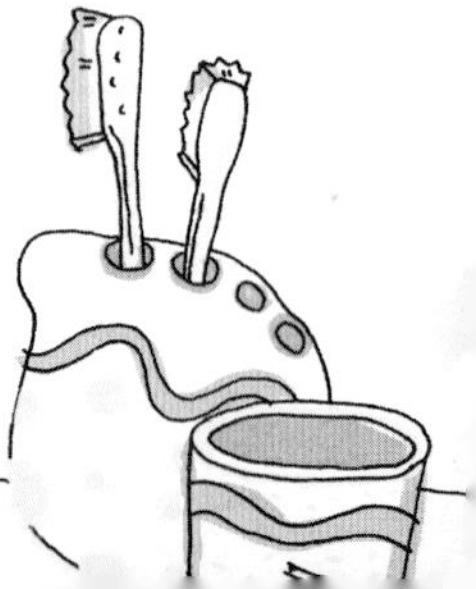

等人家問：「然後呢？」即使那人的問法很客氣，至少也表示他有一點不耐煩了。

不要三兩句就強調自己與眾不同的地方，如果可以，把在場的人也拉進來討論。任何職業性的演講者都擅長製造互動的效果，說故事時，他們會就地取材，比如：我有個初戀女友，啊，就像妳一樣，二十年前是清純美少女……

也得懂得避開某些敏感話題，不要哪壺不開提哪壺，或隨便問人家隱私性的問題。曾看到一對表姐妹就此翻臉：表姐剛離了婚，新婚的表妹本來想安慰她，卻在有意無意間說：「我老公家族每個人都有離婚紀錄，其實我也好怕，這個婚姻會有問題……」表姐反而覺得表妹是在嘲諷她的悲情過往。

沒搞清楚狀況別用負面評斷。某個明星的助理，在明星上洗手間時，剛好坐在一位廣告導演的身邊，她說她非常愛看廣告，導演便問她：「那最近那個某某藥品的廣告妳看過了沒？」此女剛出社會，過分不假思索，馬上回答：「有啊，你說的×××拍的那個嘛，簡直爛透了！」

導演的臉一陣青一陣白，在座的都捏了一把冷汗，因為每個人都知道，那是導演目前最得意的作品啊！這位明星只上了三分鐘的洗手間，就失去了一次演出機會，實在冤枉。

別老掉書袋。可不只是讀書讀到不食人間煙火的博學碩儒們喜歡掉書袋，沒有自信心、怕人家不知道他讀過書的人也很愛掉書袋，怕人家說她沒腦袋的美女也愛掉書袋。動不動就是冷僻的成語、佛經朗誦、夾雜許多英文字、什麼「意識形態」「×××主義」的專有名詞在話裡頭，惟恐別人不曉得他的分量。其實，大家只會覺得他很假，不夠真誠。

幽默，就很迷人

還有人喜歡問不著邊際，人家沒辦法在三分鐘內回答的問題：「你覺得愛情到底有沒有意義？」「現在的年輕人為什麼會變成這樣？」「世界和平如何維繫？」這些問題使人再有創意也只能敷衍著答。

自作聰明的「解語花」也不討人喜歡。在對方語氣稍做停頓時，別急著猜他的意思，等他說完。否則，常常會出現用牛尾巴接人家狗頭的狀況。

有位可憐的男士，太急著暗示他很了解自己的女友，本意是在討好她，卻常接錯了意思，三番兩次不改，只有被淘汰出局。就算熟到了幾天，你猜錯意思的可能性也很高。我也曾如此自作聰明，換來好幾次讓自己下不了台的經驗，因為，會錯了意啦！

還有，別急著下結論。有個朋友說，她最不喜歡跟當小學老師的某位朋友聊天。有一次她們談話時我也在場，仔細觀察這位小學老師的問題。我明白了她的「職業病」：太喜歡做結論！可能常常要為小朋友改

掉書袋只會讓人覺得很假，不夠真誠。

作文簿吧，她總是很權威的用非常肯定的語氣評斷著是非善惡：「這叫做虎頭蛇尾！」「這真是人心不足、巴蛇吞象！」「你這樣做是自取其辱！」人家又沒有要求你做判官啊！何況，你所說的，旁聽的人老早就知道了，並無新意。想下評論，也得用溫和的語氣，或自我解嘲的方式。

一個說話高手、真正的「解語花」，必能解除尷尬。有一次我在法國餐廳吃飯，打翻了水杯，手忙腳亂非常困窘，一位長輩笑著說：「哈，妳沒有我慘，上次吃法國菜，把田螺的殼一撥，殼飛到隔壁桌的牛排裡！」至今我仍深深感謝他的幽默呢！

最吃虧的刀子嘴豆腐心

在人生中對我們有幫助的讚美，都不是放在心中的，是被說出來的。

——Bruce Barton

有一次，廣播叩應的話題是「潑冷水」，這種題目，照例有很多「做牛做馬」的老婆率先打電話進來，說明自己為家庭做了許多事，連一句讚美也沒得到。這在我們這個「講感情還是含蓄一點好」的社會來說，好像是一種司空見慣的現象。也許並不是那些「享盡一切好處」的老公們不知感激，而是他們把好話心中埋，以為「她反正都知道我要什麼，也一定知道我很感激她」。

於是，他們只是理所當然的指責老婆沒做到的，從來沒讚美過她做

他們不是不知感激，只是把好話埋在心中。

到的任何事。如果他們換個角度想想，必能體諒老婆的辛勞，想想：如果自己的老闆是個只會隱善揚惡的傢伙，大概沒有員工會為增加公司業績而努力；自己的老婆每天遇到一個隱善揚惡的老公，還能期待她有什麼好心情活下去？

換個說法，感情更好

畢竟還是有世代差距的。一位年輕的女孩在聽了眾家說法之後，打電話進來自我反省。「原來我錯了，我不應該在他失業時潑他冷水……」

「妳潑他什麼冷水呢？」

「比如說，他拿著報紙在找工作，我看到他用紅筆把新竹科學園區的大公司圈起來，我就跟他說：你不要去白費力氣了啦，人家不會要你這種學歷的！」

我聽了嚇一跳：「妳是真的想打擊他嗎？」

「不是的，我只是不想讓他到那麼遠的地方找工作，因為不想兩地相思，才故意這麼說。」

其實她是好意，只不過一出口，話就惡毒了起來。「如果他真能找到好工作，就算是離我遠一點，我也還是會替他高興的，可是不知道為什麼，我每次都把那句話變成打擊他的話……」

她真是刀子嘴豆腐心的最佳典範。

「妳可不可以換個說法呢？就把妳的原意說出來？」她對我說的那些解釋，顯然比她確實說出口的話動人心弦，而且沒有副作用。

「我會試試看的，在這之前，我真的沒想過，這些風涼話那麼傷人啊！其實，我從很早以前就常這麼講話，男友的公司大裁員，他垂頭喪氣回來告訴我失業的第一天，我就告訴他，一定是你的工作態度有問題，你才會被老闆炒魷魚。他說，公司縮編裁了一半的人呢，我就對他說，誰叫你不聽我的話，如果你跟我進同一家公司就沒事了。」

把反諷當做幽默，到頭來，沒有人會把真正的心事告訴你。

「他是不是對妳不好，妳才這麼損他？」

「沒有沒有，他對我很好的！」

「如果一個女人想要一個男人恨他一輩子，沒有比在他失意時打擊他更好的方法。」我嘆息道。

「現在我知道了。」她的語調輕鬆起來。

我曾觀察那些「刀子嘴豆腐心」的人，多半是在一個習於打壓子女的家庭中長大的。很可能他的父母彼此說話，或對他說話的模式，就是狗嘴裡吐不出象牙來，不然就是家長中有人習於把反諷當做幽默，以為這樣的方式才會引人注意，才會痛快。長久下來所造成的結果常是：親者痛、仇者快，到頭來，沒有人會把真正的心事告訴你。

有罰無賞的家庭出身的孩子，如果沒有經過後天的反省與學習，也很可能終身成為一隻報喪的烏鴉，忘了如何在親愛的人受創時安慰他。

那是再吃虧不過的事了。

不讓謠言中傷

如果你覺得你的生活像個蹺蹺板，那是因為你正依賴著別人來決定你心情的起伏。

——Sam Horn

沒有人不曾為謠言生氣過。

連小學生都會受不了流言困擾，上網來投訴：「小玲氣沖沖的跑來跟我說，我幹嘛說她的臉像猴子，我根本沒說嘛，不知道是誰造的謠。結果她叫我們班同學都不要理我，我在班上被孤立了，我好生氣，好想死給她們看，怎麼辦？」

唸女校的高中女生也有苦水要吐：「我們班上的女生大家都在違反校規交男朋友，只有我沒有，竟然有人說我是同性戀！我氣得快瘋了！」

家庭幸福美滿的年輕家庭主婦也飽受謠言困擾：「住在我家樓下的長舌婦馬太太，到處跟人家說我是先上車後補票，我真想搬家算了，每天看到她那張臉我就有氣！」

小心上好奇傳話者的當

所謂謠言，就是聽的人無聊時覺得挺有趣，但當事人一定會因受誣賴而生氣的話。每個人變成流言的受害者的時候，都會像一根接收了過多電流的避雷針，急著把電導出去。

很多謠言聽來實在不值得生氣，造謠的手法也很拙劣，被點到名的人卻很難理性的「一笑置之」，往往越反駁越惱羞成怒。

找不到真兇的謠言更叫人生氣。其實真正的造謠者未必是那個「我不能告訴你他是誰」的第三人，可能就是那位好奇的傳話者，他或多或少也加了油添了醋，抱著看好戲的心情，以一種「我好心才告訴你」的

態度，靜靜等待你怒火中燒，然後安慰你「不要生氣」。

你越生氣，他越覺得謠言是真的，不然，你為什麼要惱羞成怒呢？這背後必然有什麼不可告人之事。

最近，我就聽到一個關於我自己的謠言。一位我經常光顧的店家老闆，「好心」的告訴我，我的前男友很缺德，到處說我的壞話，他覺得我不是那種人，於是替我「撥亂反正」。我一把火燒上身，問他，請問「前男友」到底是誰？他吞吞吐吐，說：「……我不能說……我答應我的朋友不能說……。」

我更生氣的是，第一次不說就算了，第二次我到他店裡，他又提起被我忘掉的這個沒頭謠言。這下子我可要逼出元兇來，他仍然不肯說出謠言來處，只招認是我「前男友」的好友說的，而所謂的「前男友」竟然是我久未見面的一位亦師亦友長輩，而且這位長輩從未口出惡言，這種亂點鴛鴦譜的造謠功夫真是太離譜了。他還說：「妳前男友很缺德，

你越生氣，他越覺得謠言是真的，不然，你為什麼要惱羞成怒呢？

竟然說妳有精神病哩……」

「他不是我前男友，他只是我的一個朋友！」我又好氣又好笑的據實以告。這位熱心人士彷彿聽見，我認識此人，馬上安慰我：

「妳真倒楣，怎麼會交到這種男朋友，要小心一點！」

公眾人物，一不小心就是「天下之惡歸焉」，全算到你頭上來。我早已告訴自己，盡量不要隨流言波動，但老實說，一個無聊的「栽贓」，還是會讓我氣上一個晚上。流言企圖左右你，你也明白，但想不受流言左右而浮心動氣，還真困難。

讓謠言止於安然不動的心

有個相傳是釋迦牟尼的寓言故事，對於靜止被謠言波動的心相當有用。傳說佛陀經過一個村子，有一堆人聽說他要來，就在那兒侮辱他。

佛陀只是靜靜的聽完，然後問大家：「我現在得走了，你們說完了嗎？

如果你們還有什麼話要告訴我，我可以再回來聽你們的意見。」

那些侮辱他的人嚇呆了，對佛陀說：「我們不是在告訴你什麼，我們是在罵你。」

佛陀說：「如果是十年前，我可能會用憤怒來反應你們的話，但現在我已經是自己的主人，不必處處反應別人的作為，沒有什麼話能逼我做反應了。」

每次看到這則寓言，我總會會心一笑。如果一個人能做自己的主人，就不必太努力為各種謠言做反應或反彈，不是嗎？做自己的主人，要有一顆安然不動的心啊！

很多謠言聽來實在不值得生氣，造謠的手法也很拙劣，被點到名的人卻很難理性的「一笑置之」，往往越反駁越惱羞成怒。

是安慰，還是火上加油？

最好的安慰是無言且堅定的陪伴。

有位年輕的媽媽迷上溜滑板，把寶貝女兒帶到某公園同樂。某天，遇到了一群青少年在那兒打架生事，她嚇得半死，趕緊把女兒帶回家。看到先生，基於一種需要安慰的心理，把現場狀況描述了一遍，沒想到先生還沒聽完，就發起火來：「以後妳不許帶小孩到那麼危險的地方！妳自己怎麼樣是妳的事，千萬別讓任何人傷女兒一根汗毛，否則我就……」

先生那麼疼愛女兒，本應高興才對，但這位年輕的媽媽卻痛不欲生，為什麼？

你一定知道原因。

◆ 太太和媽媽吵架，夾在中間的兒子左右為難，太太跑回娘家後不回來，先生只好厚著臉皮去勸她：

「妳不要那麼不懂事啦，媽媽年紀大了，多說幾句話有什麼關係，妳就讓她嘛，不要讓我難做人，我當夾心餅乾也不好過……我是偷偷來找妳的，媽媽還在生氣呢！她說，妳要不要回來隨便妳，叫我永遠不要求妳回來……妳就回家吧……」

如果你是這個離家出走的老婆，你會想跟他回去嗎？

很遺憾的是，所有懇求離家妻子回家的說詞，都與上列陳述八九不離十。

◆ 女朋友在整理講義時，不小心讓細白的手指給鋒銳的白紙邊緣劃了一道，一絲絲鮮血慢慢的滲了出來，她豎起手指對男友嬌嗔道：

「你看，好可憐哦！都流血了！」

她還眼巴巴的以為他會親她的手指呢。

男友只看了她的手指一秒鐘：

「別大驚小怪，這一點傷口沒什麼啦，一下子就好。昨天我騎機車跌倒，傷口比妳大一百倍，我連叫都沒叫！」

大約有一半的呆頭鵝，會如此安慰女友。他說的是事實啊！

◆

男人被最好的朋友倒了會，假裝鎮定的告訴自己的女人。

女人嘆了口氣說：「唉，早知如此，何必當初，我叫你不要跟他的會，你偏要！果然……我說得很準吧！沒關係，再賺就有了，留得青山在，不怕沒柴燒！」

她當然也為那筆錢心痛，但她安慰他之後，男人竟只想把對那個朋友的氣找機會往她身上發。

把角色對調過來想一想

有些安慰，是火上加油。老實說，如果你真的不會安慰人，不如很沈默的用小狗般善體人意的眼神凝視著他就算了，何苦加深人家的創痛？

他需要安慰時，你可不可以暫時忘掉「我」的看法、「我」的立場、「我」的經驗，設身處地的想想「他」的需要？那才是真正的體貼，別把自己馬上扯進裡頭。

很多「好人」都吃虧在一張嘴。沒有惡意，只是搞不清楚什麼時候該說什麼話，反而把事端擴大，反而得罪人。你說得沒錯，但他只能恨你。

他是來尋求安慰的，還是來聽「訓話」的？對朋友，我們的安慰話反而居心仁厚；對於親密的人，我們竟然如此「直言無諱」。

很多呆頭鵝都會用「事實」安慰女友。

把角色對調過來，將我心，比你心，想想他的需要，你便知道，該講什麼話：

先生只要對驚怕失措的太太說：「讓妳受驚了，真希望那時我在妳們身邊。」勸太太回家時只消說：「我也不知道怎麼辦，但我真的很愛妳。（別提那暫時無解的婆媳問題，好嗎？）」男朋友只需學法國騎士吻吻她可憐的小指頭，說：「哇，好痛哦，對不對？」她會說：「還好啦，沒事。」

對被倒會的男人，可別說：「我早就告訴你……」即使妳心裡是這樣想：除非妳也想跟他說再見。還是說：「錢還是可以賺回來的。」好了。反正，妳已經連帶性的成為苦主了，妳的沈默，會更叫剛愎自用的他有反省的機會。

下次不想跟他約？

不守時的罪過在於，不只浪費自己生命，還浪費了別人的生命與焦慮。

有沒有發現，和某些人說話，壓力很大？

我偶爾會有這樣的感覺：和某個人吃過一頓「其實也沒什麼要聊」的商業午餐，從喝湯到喝完咖啡，不過是短短的個把鐘頭，卻比參加三個鐘頭的座談會還累，一個頭有如千斤重。走出咖啡廳互道再見，忽然有一種被解放的感覺。努力的深呼吸，企圖把胸腔中所有的窒悶感全部消釋掉。

也許會暗自發誓，下一次，再也不要跟他約了，跟他吃午餐，完全不是在休閒，彷彿是在備戰狀態。但仔細想想，自己亂無理的，他明明

因為他並不關心你的感受，使你十分疲倦。

是個好人啊！

為什麼有人會給朋友「下次不想跟他約」的厭倦感呢？大致原因如下：

◆他說話的語調太急，永遠在搶拍子似的，每個句子之間的距離「間不容髮」，使人心跳加速，感覺實在很累。

◆他說話如同疲勞轟炸，吐出的話語像強力膠企圖把你整個人黏在椅子上；也不會看出你想上廁所，如果你不「用力」打斷，他的話似乎不會有句點。你完全被置於被動的挨打狀態，他並不關心你的感受，如果他面前坐的是別人，你知道，他也一樣會如此滔滔不絕。

◆他對你過度好奇，有一連串「為什麼」的問題，不斷的在質疑你。最累的莫過於你還要跟他的價值觀辯證。每個人選擇的生活形態與自己的人生觀密切相關，每個問題或許輕如老榕樹上的新葉，但真要回溯起來，你可能必須挖出巨大的板根，才能真正回答他的問題。而這位

好奇寶寶又似乎不太在乎問題的答案，只在乎他自己的下個問題和下下個問題。

◆他對某些人的八卦太感興趣，又想把對那人並不關心的你，拉進同一個「調查局」。

◆不管別人在說什麼，他永遠會把問題拉到自己身上。人家在聊寵物，他一定要說到某個姨媽的妹妹所養的狗。非得與此話題有「切身關係」不可，而且只在自己說話時才眉飛色舞。

◆他酷愛探尋隱私，非常關心你：「為什麼和上任男友分手了？」「為什麼年紀到了還不結婚？」交淺言深，使你窮於應付，你心想：「拜託，你以為你是誰啊？」還要鎮壓自己不悅的感覺，看著他認真的臉龐勉強答兩句。

◆他老是在批評，每一句話都飽含著負面情緒。全世界都不是好人，萬事萬物都在和他作對。你怕自己也被他恨到，只好很誠懇的當他

不管別人在說什麼，他永遠會把問題拉到自己身上。

的情緒垃圾筒。

如何擁有好人緣？

是的，就是因為這些原因，使你發誓「下次再也不要跟他約」，但想想，他的本質真的還不壞，很照顧你，或很熱心公益，你並不想跟他翻臉，於是你又跟他約了。

我還忘了提出另一個非關言語的重點，那就是：如果一個人有遲到的慣性，朋友們會自然而然不敢跟他約，尤其是單獨約，因為沒有人喜歡苦候，更沒有人會因被放鴿子而快樂！

如何有好人緣？在訂下一個約會時，觀察自己有沒有上述惹人討厭的特徵，改過就是。

如果你不得不跟上述人類進行閒暇時的約會，那麼最好學會「看來認真聽講，實則神遊太虛」。萬一被他抓到你神不在焉，你只消微笑的找

台階下：「後來怎樣？」「你的看法如何？」「我在這方面沒什麼經驗……」

這些話可是萬靈丹哪！

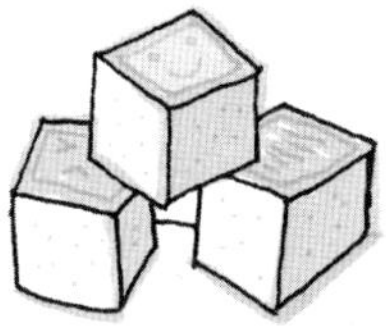

如果你不得不跟上述人類進行閒暇時的約會，那麼最好學會「看來認真聽講，實則神遊太虛」。

無往不利的柔性絕招

我們深愛的一切，會變成我們的一部分。——海倫・凱勒

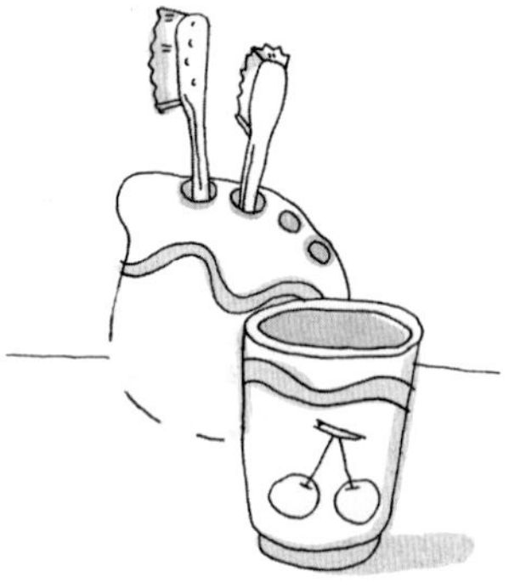

或許，有些人天生談戀愛的智商就比較高。

我認識一位絕對可以說是「馭男友有術」的女子，雖然沒有出色的容貌，在情場上總是很得意，男人老是被她吃得死死的，幾年來她也未曾吃過戀愛的虧；即使她在情場上「另有高就」，被拋棄的情人在傷心之餘也都對她念念不忘。

相反的，許多美麗女子卻常在戀愛中吃盡了虧，戀愛以驚天動地開始，以烏煙瘴氣做結。

我觀察她很久，如果要談條件的話，只有她動人的聲音談得上顛倒

眾生。她到底是怎麼做到的？

她以自信的微笑回答：「很簡單啊，只有三個絕招。第一，每一次有事相求於他時，我都會說：『有你在真的太好了，你認為這件事該怎麼辦呢？』我一定徵求他的意見或幫忙，不讓他覺得我在強迫他。當他幫我忙或發表完他的看法後，我就以手撫胸，很慶幸的說：『謝謝，沒有你我就完了。』如果是我犯了點小錯，他臉色不好看，我一定很誠懇的說：『對不起，都是我的錯，我真是罪該萬死！』你這樣說，人家就會覺得，都認錯了，別再打落水狗啦！」

這三句話雖然簡單，倒也不是每個人都可以現學現賣，不少人真是「剛毅木訥」到要他說對不起，像要砍了他的脖子；要他說謝謝，彷彿他就要賠掉一生的尊嚴似的。兩個人熟了以後，許多事情變成「理所當然」，變成責任與義務，禮貌性的致意全被歸類成噁心肉麻的「客套話」。

輕輕說一聲謝，道一聲歉，感情世界永遠不會令人絕望。

原本含情脈脈的眼睛，不知道從什麼時候開始，變成交通警察的眼睛，只會看見你違規該罰的部分。

說一聲謝謝，道一聲歉吧

有多少妻子和母親，辛辛苦苦做完三餐，沒有得到一聲謝謝？她情緒哪裡會好？難怪男人稍稍說了一句：「今天的菜怎麼這麼鹹？」她便大發脾氣：「不喜歡吃你可以自己煮！」

他覺得她小題大作、無理取鬧，不了解問題的癥結在於：她實在需要一點成就感，最愛的人卻只懂打擊她。

多少丈夫在交出薪水時，也沒得到一聲謝謝。從前還有薪水袋，沈甸甸的放在老婆手上，老婆還會燦爛一笑；現在的薪水，無聲無息進了帳戶，身為妻子如果沒有發現錢少了，大概也不會和丈夫提起薪水的細目。他怎麼會覺得辛苦有了代價？難道他不值得一聲謝？

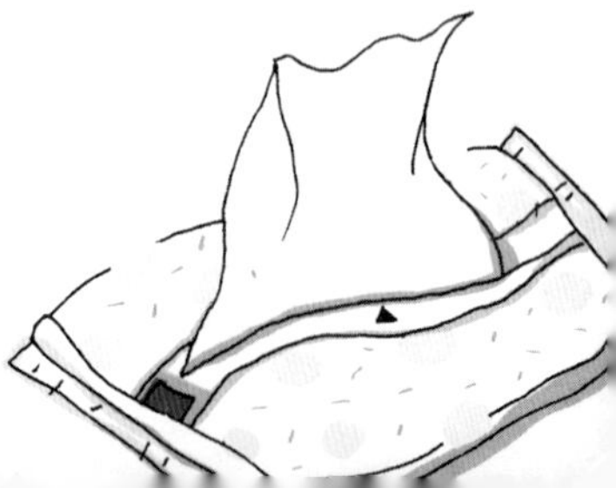

越能讓對方感覺他是良性的被需要，感情越能歷久彌新。

有一位退休的老先生告訴我，在他太太去世後，他最懷念的是，從前每一次拿薪水袋回家，受日本教育的太太總會用兩手接過去，以感激的眼神仰望他，說：「謝謝你為這個家這麼打拚！」被需要的感覺、被肯定的甜蜜是那麼溫馨，每一次想起她，總是淚溼衣襟。

我們都得在日常生活中尋尋覓覓，找到一點生命的尊嚴。如果你從現在開始，眼尖一點，願意發現那些被感謝遺忘的地方，輕輕說一聲謝、道一聲歉，感情世界永遠不會令人絕望。

越能讓對方感覺他是良性的被需要，感情越能歷久彌新。

沈默未必是金

我最珍藏的，是我從沒說出口的話。

——Orson Rega

她和他與朋友們相約出去郊遊，男友開車，她坐在駕駛座旁邊，一路上，兩人習慣性沒講話。坐在後座的三個好友，覺得氣氛怪怪的，問她：「你們是不是在吵架？」

「沒有啊！」因為，她老早習慣了他的沈默。

在風景區，肚子餓了，她要男友買烤魷魚給大家吃。怕他買的味道不稱心如意，她又跟了去。只聽見小販問男友：「要不要辣？」

男友沒說話，點點頭。

「要不要胡椒？」男友也沒說話，點了點頭。

「要不要烤焦一點？」男友又點點頭。小販看了看男友，笑了笑，開始比起手語來……男友一頭霧水愣在當地。

原來，小販是學過手語的，把她男友當成聾啞人士！

她又好氣又好笑，怎麼樣打破沈默的僵局都不是。

「他是比較沈默沒錯，但他以前不是這樣的，從前追我的時候，他打電話給我，我們可以從午夜聊到黎明，可是現在，他簡直比石頭還安靜。」她說。

無言的過程，必然走向無言的結局

有些男生，追到前和追到後，說話的頻繁程度差很多，他會覺得「革命已經成功，我已不需努力」，但這樣的人不算太多，多數是在交往的過程中，逐漸變得沈默起來。

通常，他身邊都有一個漸漸變得嘮叨、對他的操控慾越來越大的女人。許多維持了二十年婚姻的伴侶，說話的次數都相當的「互補」。這種「後天性的啞巴」都有令人同情的形成原因，在家庭中或兩人相處時，他可能很沈默，但換了個空間，他卻可能口水多過茶。

為什麼他會變成啞巴？

原因大約如下：

1.他總是說不過你，只好把沈默當成最有利的溝通利器，表達他無言的抗議。

——你是不是在溝通上太惡霸了？習於把談論當辯論？

2.他完全認同你的看法，反正你反應比他快，你說的都對嘛！

——但是，如果你沒有學習留些話給他說，這種狀況會再惡化下去。

3.他和你話不投機半句多，你老是要他百分之百同意你的看法。他並不打算按照你的意思去做，但又想避免紛爭，只好閉緊嘴巴。

——為什麼你要控制他的想法和生活？雖然共同生活，但你們畢竟是兩個人。此時別強迫他講話，越強迫，他越恨你。

4.他的專長和你不同，在這個領域裡，他怕一說出話來，就讓你覺得他很無知。

——鼓勵他也說說他的專長領域吧，練習在你不擅長的地方也當個傾聽者，多話的人要體會「此時無聲勝有聲」的涵義。

不管是什麼原因，無言的過程必然會走向「無聊」的結局。只要說話的比例相差太過懸殊，到了你自己也受不了的地步，兩人的語言溝通已經亮起警訊。

沈默有時是金。但在兩性關係中，沈默未必是金。

有些男生，會覺得「革命已經成功，我已不需努力」。

只想行使否定權

語言是思想的聲音。只想行使否定權的人，往往不知道自己要什麼，
卻想控制一切。

這種人，以「沒有意見」當隨和的條件，但又不是真的沒有意見。

他們其實很有意見，只是沒有主動與積極的意見，只有消極性的意見；他們被動，但也不是隨便被動。

他問她：「今晚吃些什麼好？」

她面露微笑，溫柔的回答：「你決定就好。」

「那去吃麻辣鍋好了，一人三百元，可以吃到飽。」

「哦，不好吧，吃麻辣鍋火氣大，很容易長痘痘，人家不要啦！」

「那麼，吃日本料理好不好？」

「唉喲，我吃生魚片會拉肚子啦！」

「去路邊攤吃魯肉飯？」

「人家最不喜歡坐在路邊，塵土飛揚，最不衛生了。」

吃這個也不好，吃那個也不好，兩人徘徊街頭個把小時，男人再好脾氣都快翻臉了，最後草草吃了路旁的燒鴨飯，女生一肚子不快，不好意思說，全記在這男人帳上，背地裡說他小氣鬼。如果你有這種「沒意見」的朋友，除了鼓勵他說出真正的想法外，別無他法。

有的人會以「再想想看」來拖延任何問題。他不說是，也不說不是，等的是「船到橋頭自然直」，真的是境界高妙。萬一等不及的那人把該做的做了，他就有了放馬後炮的權利；萬一做壞了，他則擁有批評權。他絕不當創作者，只當評論家。

有些人，以「沒有意見」當隨和，又不是真的沒意見。

不要吝於給別人讚美

過去在公家機構，有些主管就是靠這套「太極拳」的功夫混飯吃的。功勞他有份，過錯則由下頭扛，萬一下頭的人跟著懶懶散散不做決定，怠忽職守的帽子隨時可能扣在「下人」頭上。

行使否定權有高高在上的得意，意況中難免有點貪便宜的心態。指責別人錯時，隱藏起來的那句話是：「只有我是對的。」沒自信卻有強烈自我的人，多半以行使否定權的方式來維護自己的利益和尊嚴。

慣於行使否定權的人，必然吝於給人讚美，因為在他心中，只有自己最完美。他也常會責備世態炎涼、人情冷暖、世上知音稀，因為能夠窺知他「隱藏性的想法」的人必然有限。

在維護自己最後的尊嚴、爭取僅餘的肯定時，不少不善於表達的父母，也會以行使否定權的方式做為表達。父親莫名其妙的反對女兒婚事、母親動不動就要挑剔媳婦的短處，就是基於「把他比下去」的心態。他沒有惡意，只是希望晚輩能猜對自己的心意：他希望更被尊重、更被讚美、更多參與，而不是只被告知、只能被動的接受事實。

這時做子女的千萬不要因長輩的反對怒急攻心、口不擇言，把一樁喜事變成家庭悲劇。

不妨禮貌的問長輩：「您認為我該怎麼請他改進，他才會有長進？」也許，長輩就會說出他的建設性意見來。

急著為心愛的那人辯解，或和心愛的人站在同一陣線，只會使反對者更確定「反對有理，批評無罪」，為了自己的面子，只好為反對而反對。

「被需要」的溫暖，可以化敵為友

富蘭克林就有個很「賊」的主意。有一位批評家不斷的以很毒的話

行使否定權有高高在上的得意，
意況中難免有點貪便宜的心態。

嘲諷他的所作所為，使他十分尷尬。富蘭克林只好主動示好，向這位藏書頗豐的批評家借書，還書時還附上小小的謝函。這個溫馨的舉動使批評家體會了他的善意，感到「被需要」的溫暖，兩人終於化敵為友。

只想行使否定權的人，會被以德報怨的胸襟收伏的！

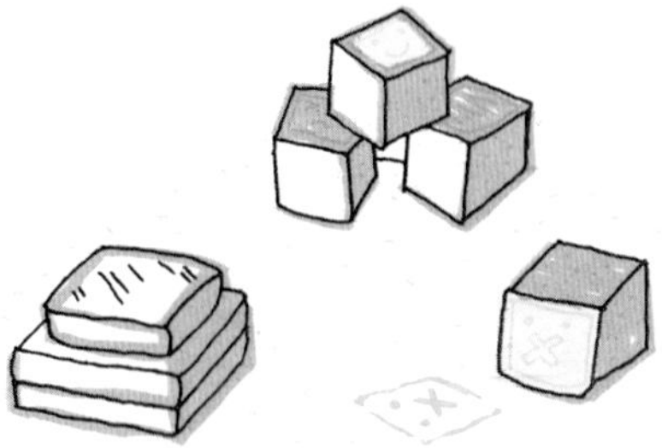

Part2

講原則，愛得有創意

感情好像是一間很小的房子，它能夠放進去的家具實在不多，不肯送舊，很難迎新。還有，如果你想新舊並蓄，要的太多，常是一轉身就會撞到桌角。

你出一半，我出一半

愛情無價，妝點愛情卻非花錢不可。

—— Melanie Clark

在東京旅遊時，認識一個來自台灣的女孩，她說，她交過幾個日本男友，但竟有些「難以適應」的地方，她還是喜歡台灣男孩。

最難適應的地方，是日本Y世代目前約會採取的「一半一半」的付帳方式。

「如果妳想要男女平等，有時妳請客，有時他請客，一半一半也沒什麼錯啊！」我說。

「不是這樣，是每一次約會時，你付你點的菜，我付我點的菜。比如我們一起去吃中華料理，你點糖醋排骨和餃子，共一千五百日圓；我點鍋貼和味噌湯，共一千兩百日圓，即使你有吃我的，我有吃你的，我們還是各付各的，埋單的時候，算得一清二楚。」

哦，如果是這種方式……我沈思了半晌，我想我大概也會「很難適應」。

真正愛你的人，不會算清楚

金錢觀不同，在現代愛情中，鐵定要算進「個性不合」之中。現在流行的約會付帳方式，「一半一半」越來越多。雖說是一半一半，還是有些不一樣的分法。

有一次接到一位上班族女子打到電台的電話，她與男友分手的理由也是「一半一半」：

「如果是有時你請，有時我請，我也可以接受，可是他的堅持卻讓我很難適應：我們去吃日本料理，共花了一千一百五十元，那麼，依照我

金錢觀不同，在現代愛情中，鐵定要算進「個性不合」之中。

們的約定，我就要出五百七十五元。」

「如果是奇數怎麼辦？」我開她玩笑。

「我乾脆多出那一元啦！」她說。「但是我心裡會覺得不太舒服。」

她的故事讓我想到譚恩美寫的小說《喜福會》。一個中國女孩，嫁給美國先生，上超級市場，你付一半我付一半；水電費，你付一半我付一半：什麼都算得很清楚，這樁婚姻最後還是不歡而散，也始終沒有得過中國丈母娘的認同。女孩的母親認為，一半一半，那不叫婚姻，真正愛妳的男人不會算得那麼清。

一半一半，雖然是說好的，但真正實行起來，叫來覺得很「生疏」，也很不舒服。到底該怎麼辦？

沒有標準答案。唯一能說的是，金錢觀是要協調的，兩個人在一起，總要找出一個「你不會不愉快，我也可以接受的方式」，大家都看過太多應該琴瑟合鳴，卻給理財方式拖垮的婚姻或愛情。

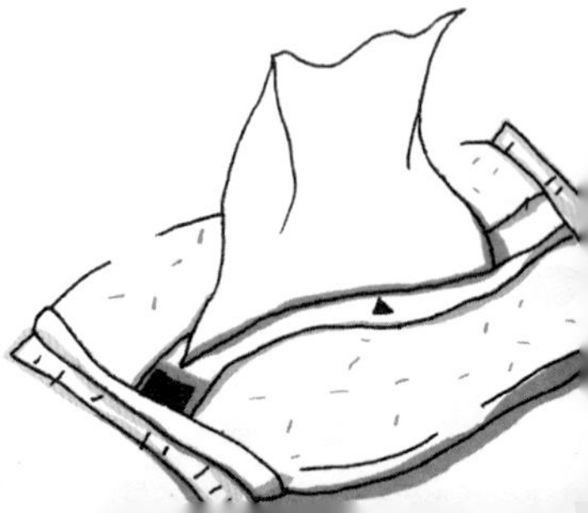

公平太難，雙方無怨就好

在談戀愛的階段，每個人的經濟能力都差不多。一個女孩如果堅持「什麼都該你付」，情人會覺得壓力很大，如果他不好意思說出：「妳可不可以也出一點？」他可能就會以「不要太常約妳出去」，來維持他的面子。

很會賺錢的女人也很可能在剛開始時發揮母性，對男人說：「沒關係，我幫你是應該的。」也許她自覺得很賢慧，但男人失業久了之後，總會發現老婆的臉色越來越難看。自覺付出太多而無法平衡的人，常不知不覺出現「討債鬼」的表情。

著有《金錢男女》(woman,man&money)的理財律師威廉・狄凡，強調在「生命共同體」的考慮下，以「清楚表達」和「觀照內心的問題」來做財務上的決定。無論如何，現代男女的財務分配是個很難「公平」的

總要找出一個「你不會不愉快，我也可以接受的方式」。

問題，能做到雙方無怨就可以。

碰到不同的人，就會出現不同的理財問題。外在狀況不同，理財問題也時時在改變。

明明有問題，卻避談魏晉名流口中的「阿堵物」——錢的問題，感情遲早會出現「個性不合」的問題。那個和女友「一半一半」的男子，恐怕還不清楚：「為什麼明明妳也同意一半一半，最後妳還是因此而甩掉我？我可沒佔妳便宜哦！」

愛情中的獵人心態

如我們好好審視自己，會發現我們所擁有的正是我們所渴望的。
——Simon Well

為什麼我每一次談戀愛都不超過十天？

這個問題是由一個素來很優秀的大男孩所提出的愛情問題。

他目前在國立大學唸書，也是該校的風雲人物，因為每次談戀愛都不超過十天，使他有了「花花公子」的封號；但從外表來看，他文質彬彬，應對進退都很得體，處理事情也有條不紊。

其實他並不想這麼「喜新厭舊」。

問題到底出在哪裡呢？原來，他在唸高中的時候有個女朋友，兩人

在感情世界中，是不是得不到的，總是最美麗？

一個住高雄一個住彰化，他的求愛勇氣相當驚人，每週一、三、五放學後，騙爸媽說他要留在學校晚自習，迫不及待的趕往火車站，搭車晃到台中去，只為見女友一面。見到女友之後，又得趕火車回家。幾個月後，光火車票就花掉他所有的積蓄。剛開始，女朋友看到他千里迢迢的跑來，異常興奮，真的是難分難捨，久了之後，竟然落得「不知道要講什麼」。

不過塞翁失馬，焉知非福。由於他心還沒死，希望和女友一起唸同一所大學，所以失戀後功課反而好了起來。

放榜後，很湊巧的和女友考上同一所大學，只可惜女友另有對象，死灰無法復燃。於是，他開始追求別的女生，但過不了十天，就發現自己和那個女孩「沒話講」，心中也殘存著前女友的影子，只好默默的和情人說再見。

「我忘不了她，怎麼辦呢？想來想去，好像還是她比較好。」他問。

得不到的永遠是最美？

愛情的問題常常出在自己身上，只是我們不容易發現自己的問題藏在哪裡，或者，不肯改變一下態度。其實，他跟所有的女友，包括前女友在內，分手的理由都是一樣的，就是「沒話講」。

「我覺得你即使和以前的女朋友再度在一起，也一樣會以『我們實在沒話講』而分手——你忘不了她，只是因為你忘不了那種辛苦的追求過程，你忘不了當初那種滿腔熱情在搭火車的傻勁。你想想看，你是不是有獵人心態？」

「什麼叫獵人心態？」

「就是還沒打到獵物時，全身血脈賁張。打到獵物之後，就覺得，還不就是一隻死兔子？你有沒有發現，在追求時跟相處時，你的態度簡直兩極化？」

還沒打到獵物時，全身血脈賁張。打到獵物之後，就覺得，還不就是一隻死兔子？

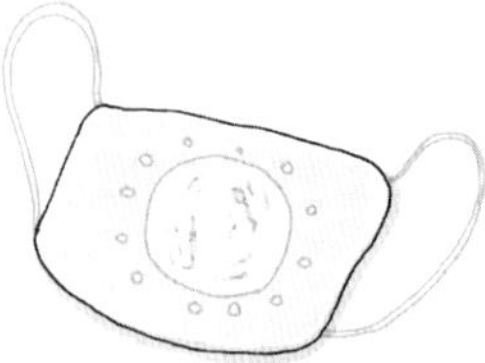

他恍然大悟說，對啊，追她的時候，都是他在講話，追到之後，他就不想講話了，只好變成她在講話，講來講去，還不都是一些瑣碎的事情。他只想冷冷的抽身，在學校的活動中發展他的事業心，得到一些成就感。

「原來是我自己沒話跟別人講。」他是個很會「舉一反三」的人，馬上想到，自己在追到女友後和女友相處那種槁木死灰的樣子，和自己的父親在家中永遠沈默寡言的嚴肅模樣還真像。他不自覺就模仿了父親對母親的態度。

「你希望十年後、二十年後，你在自己家庭中的角色和自己的爸爸一樣嗎？」

他搖頭笑著說不，太無趣了。

在感情世界中，如果持著獵人心態的話，「得到」永遠是無聊的開始，而一次又一次的狩獵過程，總會讓人質疑，是不是得不到的，總是最美麗？

理工科男子的專業癖

電腦沒有人性的部分原因是：程式一旦適當輸入，進行順利，它便完全誠實。

——Isaac Asimov

有一位年輕的理工學者帶著他的一臉求知慾，在座談會後找到我，一本正經的說：「有個問題和您討論一下好嗎？」

「我的女友很早就說我不浪漫，昨天還說我無趣到很難跟我在一起。我覺得我還好啊，她是文學院畢業的，為了她我還買了一本唐詩三百首呢！我該怎麼樣讓她覺得我有趣呢？」

我看看他疑惑的表情……光看他那一身好像剛從寢室走出來的衣著、方方正正的臉型、正經八百的樣子，和一點也沒有任何柔軟度的說話語調，其

在愛情中也兢兢業業的想要尋找「正確答案」，這人變得無趣。

實，我也覺得我很難和他討論浪漫這件事，但這未免有點不公平，難道一個人「天賦」不好，就該與浪漫絕緣嗎？

由於我急著趕最後一班飛機，沒有時間和他討論這個問題，只好請他e-mail給我。我對他說明了我的狀況，問他：「現在幾點了？」

「八點四十八分二十五秒！」他很精確的回答。

哦，我忽然明白了原因。

實事求是，是被三振的不浪漫理由

又是理工科「優秀男子」的通病！他們對任何事情都具有研究精神，在愛情中也兢兢業業的想要尋找「正確答案」，這使他們變得有些無趣。不過，一般女子如果可以把這種無趣看成「老實」的同義辭，常會包容這種無趣，只是偶爾會有些怨言而已。

我記得有一次和朋友們相約郊遊，我坐在一位優秀的理工科男子車

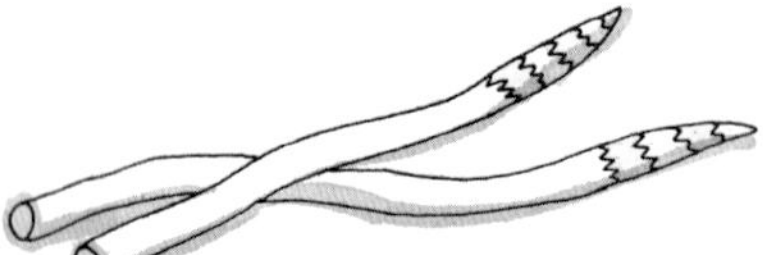

上，他聚精會神的開著車，臉上的表情好像要把前面還沒走完的公路全捲進嘴裡吃掉一樣。我很善盡職責的想與他聊天，但很不幸的提出他專精的問題。當時，我指著旁邊飛快的車說：「那輛車好漂亮，是A牌的五門車嗎？」

「錯！」他很響亮的回答：「那是A牌的跑車版，它加裝了前後大包圍、車側擾流裙，還有後擾流板、不銹鋼排氣尾管、RECORO賽車椅，還有電動天窗。」

一時，我插不上話，覺得「很悶」。

我的一個文學院同學從前最恨和她「天文研究社」的男友去看星星，雖然他們是在某次活動中，於星空下定情，當天，他熱烈的為她解釋獵戶座、天鵝座……讓她好崇拜他。活動結束，他來邀她看星星，她也都像隻快樂的小鳥一樣赴約，但相處了半年之後，情勢逆轉，她怕死了和他走在椰林大道上的時候，總是旁若無人的對她講解星象。

相處了半年之後，情勢逆轉，她怕死了和他走在椰林大道上的時候，總是旁若無人的對她講解星象。

還有位音樂系女生邀電機系男友聽音樂史的講座。老師在黑板上寫道：「一四〇〇年到一六〇〇年是文藝復興時期，一六〇〇年到一七五〇年是巴洛克時期……」

男友馬上舉手對老師說：「老師，錯了，應該是『一六〇一』年到一七五〇年。」

「那只是大約呀，喂，這不是數學題，不要這麼死腦筋！」女朋友真想挖地洞鑽下去。

對這個男生來說，他一點也沒錯，每次計算什麼，至少要計算到小數點第二位，差1，差太多了，那一定是「錯」的……

有個交了醫學系男友的女孩更慘了，他來載她前，總問她：「妳大小便了沒？這一路可能會塞車，如果妳不先上廁所，妳的腎臟負荷會很大，也容易有便祕的問題……」

「實事求是，講求精確」是理工科男生必備的求學精神，可是對談戀愛的人來說，卻常是莫名其妙被三振出局的「不浪漫理由」。並不是因為你的口才太差，而是因為，你破壞了情趣，使人輕鬆不起來。連在休閒的時候，你也只專注在你的專業研究範圍，人家「聲東」，你「擊西」，非要找出正確答案不可……

現在，聰明優秀的你，知道問題了嗎？

「其實我也沒多聰明，我的ＩＱ只有一百二十，不過我覺得以前做的那個測驗不夠精確。」啊，住嘴吧，別又來了！

他會愛女人嗎？

分清楚可能與絕對不可能，再來努力吧！

她是情竇初開的高中生，一臉清純的問我：「我這一生只想要一次戀愛，您可不可以告訴我，戀愛成功的第一要件是什麼？」這真是個「大哉問」，我可不是「戀愛保證班」的老師呀！全世界沒有人敢開這種補習班的。好像有人問你：「我想中第一特獎，請問要買哪個號碼？」

我愣愣站著，想告訴她，世界上沒有她要的那一帖藥方，但又不忍讓可愛的她失望而回，可是，我真的不知道在短短時間內從何向她解釋起啊！

「沒關係，那您只要告訴我第一步驟就可以了。」

我笑了笑，對她說：「先搞清楚他愛的是男人或女人吧！」

搞清楚你愛的人，是不是同志

並不是在說笑話。現在這個問題越來越多。我曾收到許多這樣的投訴：深陷在暗戀或失戀（通常是還沒開始就已失敗）的人，說她愛上了一個條件很好的男人，可是那個男人只愛男人，他是同志，她該怎麼辦？

我想她真的愛昏頭了。她能怎麼辦？難道她想代替上帝更改他的性向？她唯一能做的，是當他的朋友，為他祝福，也尊重他不愛女人的自由。

在愛中，很多人都想「愚公移山」，本位主義強烈到連人家的天性也想剷除。

只能尊重他的天性，他不會愛你，你頂多是他的朋友。

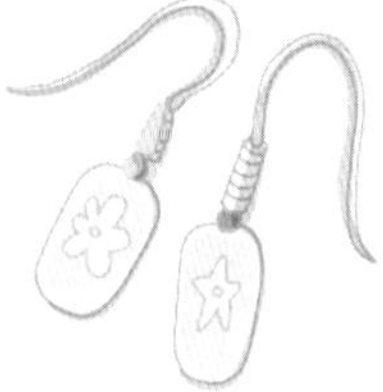

還有如下的困擾：「我很喜歡我的同班同學，我們每天一起打球、回家，感情很好，沒想到他最近在追某校儀隊的一個女生，每天魂不守舍，還拿我當他的戀愛顧問哩！我心裡很愛他，卻不能說出來，我很痛苦，怎麼辦？」寫信給我的青少年是個男校的高中生。他是個同志，遺憾的是他喜歡的人卻喜歡女人，再痛苦、再悲哀有什麼用呢？也只能尊重他的天性，他不會愛你，你頂多是他的朋友。你有愛男人的自由，他也有愛女人的自由。

有的痛苦很深沈，是生命中不能承受之重；有的痛苦很無聊，除了割捨，別無他法，那不值得再痛下去。

搞清楚他愛的是男人或女人，聽起來好像很好笑，但在過去同性戀人被壓抑的年代，確實有些女人做了「無後為大」觀念的犧牲品：多半是相親結了婚，生下了孩子，兩人之間關係有點怪怪的，但她也說不出所以然，總之，日子還可以過啦！如果不是某一天下班提早回家時，發現丈夫和某個男人在床上，她不會發現，那個男人只想拿自己借腹生子！

一個不忍卒聽的愛情故事

有些人沒搞清楚自己的性向就結了婚，法國的傳奇性作家紀德就是最好的例子。他分明是同性戀，常常為美少男心神蕩漾，卻娶了他所崇拜的表姐瑪德蓮。紀德的母親本來是覺得瑪德蓮配不上自己的兒子，但在發現兒子只愛男人後，反而虔誠的希望瑪德蓮可以拯救兒子的「不正常傾向」，這個婚姻，成為兩人一生痛苦的開端。

紀德曾說：「我發現醫生的理論錯得很離譜，他就像其他人一樣，認為同性戀傾向發生在生理正常的人身上，是後天養成的習慣，因此可借由教養、性和愛情來更改……」但他和瑪德蓮始終沒有結束奇妙的婚姻關係。

有的痛苦很深沈，是生命中不能承受之重；有的痛苦很無聊，除了割捨，別無他法。

雖然在紀德心中，瑪德蓮有其重要地位，但那始終不是兩性之間的愛情。紀德和瑪德蓮的關係始終停留在「沒有關係」的狀態。在他晚年的日記中，表白他和瑪德蓮的關係，他對她很迷戀，像兒子需要母親般的需要她，卻也有諸多抱怨。瑪德蓮花了一輩子堅守這一段婚姻，而紀德則在無助的悔恨中度日。他在日記中充滿矛盾的寫道：

> 老天，我確定自己扭曲她的生活，比她扭曲我的生活爲甚……我感到自己完蛋了、沒救了，我告訴自己她的一滴眼淚比我的一片汪洋來得重要，我不再認爲自己有權利把快樂建築在她的痛苦之上。
>
> 但我爲什麼要提到快樂?我的生命、我的存在都使她受到傷害。
>
> ——（摘自《沈默的戀人》）

他們的婚姻就這樣維持了四十三年。

這是我最不忍卒聽的「愛情故事」。充滿掙扎、痛苦，但並不感人。

現在你知道，為什麼先搞清楚他愛男人還是愛女人，還是有其重要性了吧！

荒謬劇的導演住手吧！

許多人都把有用的熱情和無謂的亢奮或狂熱混為一談。
——Richard Carlson

現代的都會愛情故事，荒謬劇越來越多，有些情節，是連本土連續劇的偉大編劇都很難想像的，從我所接到的網路愛情問題越來越複雜化，便可看得出來。比如：

◆

阿志覺得自己是天底下最倒楣的男人。約前任女友阿敏出來吃飯，才剛看到女友的臉，「妳好！」還沒說出口呢，阿敏的行動電話響了，看她甜蜜蜜的説話，就知道是她的現任男友打的……

算了吧，離開舊記憶，記取一點教訓就可以，上路了。

「好，待會兒見。」阿敏掛斷電話。對他一笑，說：「我男友叫我早點回家！」然後轉頭就走，他呆呆的看著她離去的背影，覺得自己的世界在那一剎那間崩潰了……

◆

她是個年輕的上班族，有一次在公車上遇到色狼，有位男子見義勇為的把色狼推開，讓色狼吃了兩個耳光，成就了她和他的愛情故事。

她同情他這個無業遊民，讓他住進了自己的小閣樓；同居了三個月後，在網路上發出疑問的「愛情限時批」：「我不知道是為了報恩，還是愛他，才和他在一起，我受不了他的晴時多雲偶陣雨，脾氣不好就打我。但是他對我也蠻細心的，脾氣好時對我非常好……可是我實在受不了看他心情過日子……

◆

但是請別叫我分手，我已付出許多……」

還在唸大學的芳玲和小朋是在郊遊時認識的，她抽中他的鑰匙，於是就上他的車，兩人越聊越開心。到了晚上，芳玲沒有隨著一起來的室友回到宿舍，緊摟著小朋的腰，和他到處打混。當晚，小朋帶她到賓館，她有了「一夜情」。

要命的是，這一夜情是她的初戀，不管她透過誰找小朋，小朋說不出來就是不出來，芳玲難過得不得了。越想忘，越忘不掉，每個人都看到她為他形銷骨毀的樣子。

走樣的愛情，算了吧

別以為現在正在談戀愛的Y世代，會比自己的父母處理感情的態度來得瀟灑，不會像上一代一樣堅持「雖然是錯誤的結合，為了孩子和面子也要天長地久」；雖然比較容易交到男女朋友了，但也因難捨舊愛，把自己弄得痛苦不堪。

敢做，不敢當；敢得，不敢捨。是現代愛情的特徵之一。

Look Inside 092 重新看見自己

敢做，不敢當；敢得，不敢捨。是現代愛情的特徵之一。

提不起、放不下的人實在很多。

很多走樣的愛情沒有解答。我只能說，算了吧！但是他們的回答多半是：「可是我很痛苦！」成長本來就會有痛苦，就看你願不願放走那樣的痛苦。

感情好像是一間很小的房子，它能夠放進去的家具實在不多，不肯送舊，很難迎新。還有，如果你想新舊並蓄，要的太多，常是一轉身就會撞到桌角。

這些荒謬劇要不要喊停，是導演的權利，導演是誰？當然是你。

主角也是你自己。如果你發現自己像個「大爛片」的演員，而且還是個爛演員，不斷的像在吃ＮＧ一般，重複同一個鏡頭，那麼你得思考，是否該換個劇本，還是換個人演對手戲。

算了吧，離開舊記憶，不要周旋其中，記取一點教訓就可以，上路了。

行動電話與兩性關係

在我看來，你要彩虹，就得容忍雨。
——桃莉．巴頓（知名女星）

最近，有一位做業務的朋友大呼受不了。因為他的業務必須靠行動電話而生存，但是有「駭客」入侵他的行動電話，使他不得安寧。

「婷婷在不在？」第一通電話，是由一個語氣有點羞澀的男生打的。

他很客氣的說：「你打錯了。」

沒想到過了一分鐘，那個男生又打來：「我可不可以和婷婷說一句話就好？」

「這是我的電話，沒有這個人。」

「你那裡不是0935000000嗎？」

它使談情說愛變得容易，卻也使戀愛失去了望眼欲穿的心情。

沒錯，電話號碼是對的。「可是沒有這個人，這是我的電話。」

「你是她的誰？她現在跟你在一起嗎？」

做業務的朋友有些火大，怎麼你打錯電話，還要硬誣賴我。「我告訴你，沒這個人！這是我的電話！」

「你叫婷婷不要躲我！我有話對她說！」

「神經病！」他掛掉電話，但災難來臨。這個傢伙像一隻咬住一個號碼就不鬆口的鱷魚，即使是在半夜裡，每十五分鐘就打一通電話。他很想關掉電話，但他有國外的客戶，因為時差關係也可能在晚上打來，如果臨時改號，實在沒辦法通知所有的人，只好暫時忍痛與這個瘋狂的少年周旋。

我聽了他的抱怨，只能同情他的倒楣。沒想到過不了多久，我也碰到另一隻死纏爛打的母鱷魚，她一口咬定這是住在蘇澳的陳先生的電話，大聲罵我：「妳是他什麼人？叫他不要躲我！」每

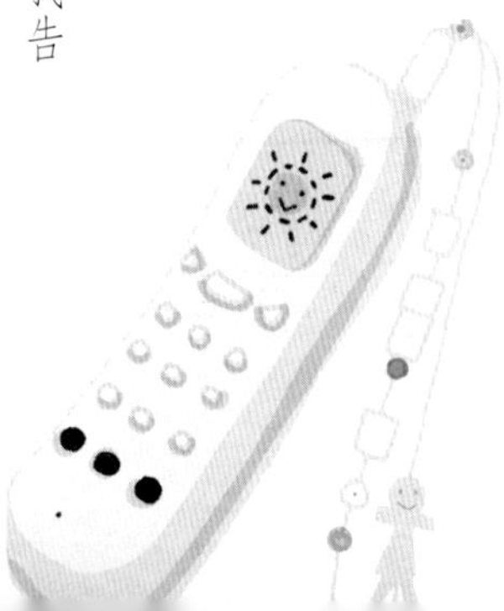

隔三十分鐘打一次，要試試「陳先生」會不會接到她的電話。我想她一定是遇到一個胡謅行動電話號碼的花花公子，而我的電話糊裡糊塗的進了她的電話簿，這下子，我成了無辜受害者。

還好我不是做業務的，第二天，我改了電話號碼。

再文明的機械永遠不會控制一顆心

有了行動電話之後，兩性關係有了一些新變化。

它使談情說愛變得容易，卻也使戀愛失去了一種望眼欲穿的心情。

年輕的戀人們始終徘徊在「很想時時和你說話，又怕電話費多到讓我沒飯吃」的矛盾之中。

想要掌握別人行跡的人，用行動電話緊迫盯人。

不想被控制行蹤的人，則每天在想：「如何讓他不要懷疑我就在我所說的地方」，以及「怎樣能夠適時關掉手機，又有藉口不要讓他起疑」

想要掌握別人行跡的人，用行動電話緊迫盯人。

的理由。

許多人的外遇被行動電話的帳單洩露了祕密。為此，徵信社多了一項營業項目。

而誤以為有電話就可以連絡愛情的人，死咬著一個號碼拚命打，希望可以挽回愛意。

行動電話變成人們控制慾的延伸。

我很想說的是，道高一尺，魔高一尺，再文明的機械永遠不會控制一顆心；留不得，也只有捨得。刺耳的鈴聲，要懂得適可而止啊！

可惜就是愛賭氣

懷恨報復，有如自己服毒，卻以為可以毒死別人。

——Malachy Mccourt

人類這種「萬物之靈」，有一種特別的習性，叫做「賭氣」。動物做什麼事，不是自利的，就是利於群體的，只有人，喜歡做損害共同目標，但也對自己很不利的事情。

淑敏和小偉是一對論及婚嫁的男女朋友，兩人吵了九年，也愛了九年，前不久才論及婚嫁，卻因為一件小事取消了訂婚的決定。

淑敏和小偉共買了一輛車，兩人輪流當司機。訂婚前某夜，和朋友唱KTV，小偉第二天要上班，在十二點時，對淑敏說：「喂，我要回去了，

如果真的喜歡賭氣，不妨往「利己」的方向賭氣。

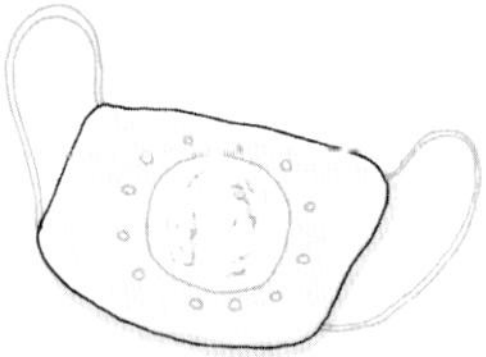

妳走不走？」

淑敏正唱到她最拿手的張惠妹呢，豈肯放下麥克風，她在大家面前開玩笑似的對小偉說：「要回去你自己走回去，車留給我開回家。」

過一會兒，小偉神祕失蹤了，淑敏才曉得，小偉真的氣得走了幾公里路回家。凌晨兩點，淑敏把車開到小偉家，跟他道歉，小偉餘恨未消，對她說：「妳如果真的有誠心跟我道歉，妳就從我家走到妳家，這樣，我們一筆勾消！」

淑敏個性剛烈，她也一言不發，就走了回去。小偉家和淑敏家相隔甚遠，一個在台北市南邊，一個在台北市北邊，小偉也沒想到，淑敏竟然也賭氣走了回去。

淑敏一邊走一邊流淚，她想，半夜三更，小偉竟然叫她一個女孩子走回家，完全不顧她安危，這種男人能給她什麼保障？路上遇到幾個醉漢，猥瑣的眼神更加深了暗夜行路的惶恐，她踩著高跟鞋越走越心寒，冷不防扭了一下，痛徹心肺。這個帳，當然一併算在小偉帳上……

最精采的是，到家之後，在清晨的曙光乍現時，淑敏馬上再雇了一輛計程車到小偉家，把他大罵一頓。這下，不只驚動小偉的父母，連鄰居的清夢也打擾了！

淑敏在事發後四處對好友投訴，一把鼻涕一把眼淚，說明她不願和小偉訂婚的理由，但卻又捨不得和小偉分手……

很多愛情中的爭執，非當事人不明白當中滋味。朋友在同情之餘，只覺得很無聊：「他叫你走回家，只是他賭氣的話嘛，你又何必賭氣，如果他叫你去死，你也會去死嗎？」

要賭氣也要賭得「利己」

這可不是開玩笑的，就有情侶吵到跳樓，只因為女朋友對男生說：「你死了算了！」基於報復和自殘的心理作祟，男友賭氣就當了真。人醒

這可不是開玩笑的，就有情侶吵到跳樓，只因為女朋友對男生說：「你死了算了！」

來時已在醫院裡，兩條腿經過幾年的復健才能走路。沒賠上一條命已屬萬幸。

賭氣也未必是壞事。有位專門採訪成功人物的記者，調查那些名人成功的原因，發現大部分人並不是真的「一心想成功」，而是基於某種報復心理：好，你說我不行，你給我臉色看，我就做給你看！像戰國時代的蘇秦一樣，如果老婆沒有看不起他，對他冷言冷語，他可能不會有身配「六國相印」的一天呢！

我想，他最快樂的一刻，就是衣錦還鄉時，老婆來求和，他命人潑了一盆水，對老婆說：「哼，我們的緣分，就像這盆水，覆水難收！」

如果真的喜歡賭氣，不妨往「利己」的方向賭氣。如果淑敏懂得在小偉盛怒之下，走出他家，偷偷叫了無線電計程車回家，第二天再作弄他也不遲呀！我敢保證，小偉一定很內疚，而淑敏也不必將這麼多苦頭算在小偉帳上。

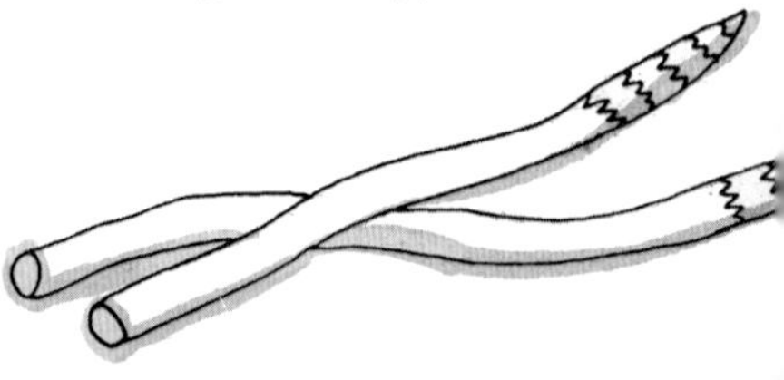

會為大局設想的人，不妨多問他一次：「你是說真的嗎？」問這句話還要有點技巧。要平心靜氣，可不能來勢洶洶，像隻吃人的猛獸。否則，他必然也會賭氣說：「當然是說真的，你笨得該跳樓了，跳啊！」

會為大局設想的人，不妨多問他一次：「你是說真的嗎？」

要依偎，不要依賴

我的意志決定我的未來。任何成功與失敗都是我自己造成的，與他人無關。只有我擁有開啟命運的鑰匙。

——Elaine Maxwell

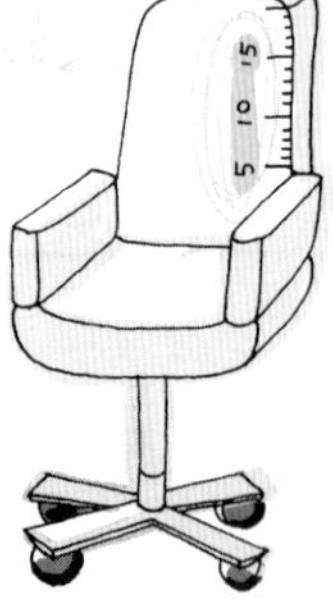

匆忙的世界最常看見的是漠不關心的眼神，最令人受傷的是拒絕的語調，每一個人，不管是男人或女人，都渴望著一點溫柔。

需要溫柔，是因為在溫柔的對待中，我們品嚐到被需要的滋味。

不管時代再怎麼變，在愛中，「原始」的呼喚不會變，一個聲音動聽的男人，即使不露面，也可以透過收音機，成為大眾情人；一個女人，只要學會「小鳥依人」，鶯聲燕語，男人多半無法在愛情中分神。

溫柔與沒原則千萬別搞混

我們畢竟身處於一個不只需要愛情的社會，可是，溫柔與體貼如同食物佐料一般，有人口味重，有人口味淡，然而無論如何，放多了沒人吃得消，而且會使人遺忘了食物的原味。

「你想吃什麼？」第一次約會時，女孩問男孩。她中午時吃了焢肉便當，晚上約會時想要吃得清淡點，不好意思直接下指令，只得用疑問句起頭。

「我什麼都吃，沒意見。」男孩說。

於是女孩作主，吃了清粥小菜。愛情路上男孩只要和女孩在一起，一路沒意見。終於有一天，兩人在街上吵了起來，女孩咆哮：「你到底哪一天才有意見？你真是太無聊了！」

太沒意見，到頭來和處處有意見一樣讓人生氣。

如果沒有主見，小鳥依人的女孩也會遭遇「事過境遷」兩樣情。剛開始她處處問他意見，他說投票給誰，她就照辦；他說妳穿粉紅色好看，她就天天像個嬌滴滴的粉紅豬；他一路寵她，寵到終於有一天，他對她大吼：

依偎，是愛的美感；依賴，則是愛的黴菌。

「妳到底會什麼啊？穿什麼衣服也要問我？唸完大學妳還這麼智障！妳希望我每天沒事陪妳逛街啊？」

戀愛時，他誇海口說：「只要是可以看到妳，從台北載妳到高雄我都順路！」於是妳沒有他就不會走路。許多女孩在情人調頭而去時，絕大部分的悲傷與沮喪大多來自於沒有交通工具，有些女人接受一個不怎麼愛的男人，竟是習慣他當她的交通工具。

這個活的交通工具到後來不是不願意來載她，只是他很有壓力，不想讓義務取代權利。

只依賴，不依偎，愛的黴菌找上你

不知道有多少中年夫妻，把婚姻生活過成了「只依賴、不依偎」。太太責怪先生不肯帶她出國、帶她去玩，忘了自己也有雙手雙腳，也有行為能力和經濟能力，丈夫不愛玩，她也可以天涯單飛啊，總比坐在家中板著臉怨他

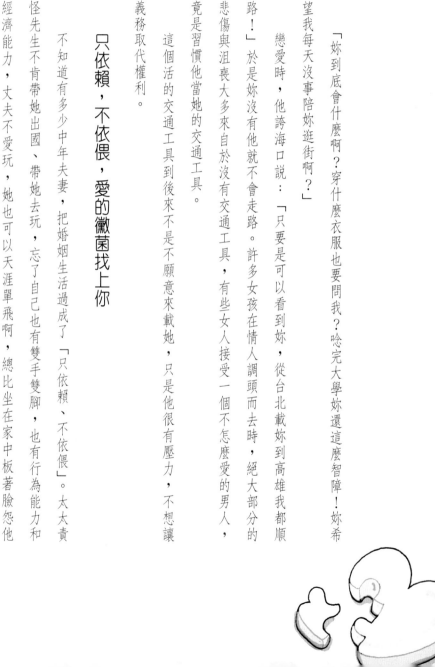

好：丈夫雖然會數落老婆不如外頭妹妹溫柔，卻也在生活中對太太萬般依賴，她不在，他連家裡的衛生紙貯藏在哪裡都不知道。

儘管依賴對方，卻不依偎對方。肉體上除了夜晚的「例行公事」之外，總是維持著遙遠的距離。遙遠到當孩子成了青少年上健康教育課的時候，還會質疑：「我真的是爸爸媽媽做那件事時生出來的嗎？」

因為他們連父母牽手都沒看過。

不管是友情還是愛情，都是人與人間的依存關係。依存變成了依賴，對任何人際關係會變成慢性的傷害。

依偎，是愛的美感；依賴，則是愛的黴菌。

不知道有多少中年夫妻，把婚姻生活過成了「只依賴、不依偎」。

不快樂的喜帖

我們必須接受有限的失望，卻千萬不可失去無限的希望。

二十五歲的翠芳接到一張意外的喜帖，帖上的新郎是前男友阿平的名字。兩人雖然分手了一年，但還會斷斷續續收到有關他的消息。才聽說他交了新的女朋友，竟迅速的收到他的喜訊。她的心情很複雜，不知道是否該為他高興。

後來阿平打電話給翠芳，說他結婚是不得已的，因為比他大了幾歲的女友「先斬後奏」的懷孕了，兩方家長協議下，決定迎娶「長孫的媽媽」進門……

男友說得很無辜，希望翠芳有空的話在婚前與他見一次面，安慰他悲涼

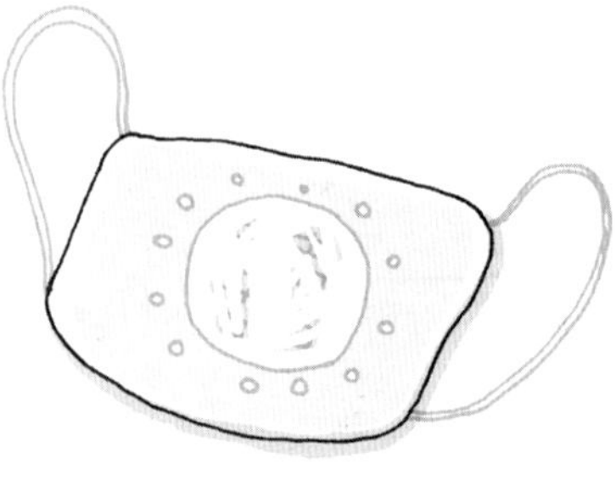

的處境，翠芳非常的猶豫，不知道該怎麼辦？

男友忽然結婚了，「新娘不是我」這樣的遭遇，對前女友來說，都很五味雜陳了，對於「現役」的女友而言，更是情何以堪？

大學剛畢業的黛玉接到男友喜帖時，差點哭昏了過去，喜帖上的新娘竟然是男友的前女友！他們不是老早就沒有連絡了嗎？她根本不知道，自己的男友會腳踏兩條船啊，他不是曾賭咒說，會生生世世愛著她嗎？黛玉氣沖沖的找到男友，男友也很無辜的說，他的前女友精神不正常，為了分手一事，動不動就要自殺，分了這麼些年，他實在沒辦法，只好娶她。「那我呢，我算什麼？」黛玉想：「難道我不會一哭二鬧三上吊，就活該要輸嗎？」

男友竟然告訴黛玉，沒關係，我只是哄哄她，我還是比較喜歡妳。在他的新婚之夜，哭得死去活來的黛玉，竟然發現這位「別人的新郎」出現在她的閨房，「看，我連新婚之夜都出來找妳，表示我心裡只有妳……」

軟心腸的黛玉於是在男友的婚姻中扮演了多年的第三者，和一個動不動

縱然他做出錯誤的選擇，也是他的自由，妳還是另謀高就吧。

就自殺的元配爭奪一個男人。後來，她終於發現這個男人的優柔寡斷使她白費了許多青春和氣力，男友始終還是選擇左右為難；黛玉黯然退出戰局。這些年來，她長大了，也成熟了，學會瀟灑的說：算了，祝福他吧！

回首前程，黛玉發現，幾年來支持她繼續這段愛情的原動力，不是愛，而是她好強的本性，她根本不相信，自己會輸給「那種女人」！最冤枉的是，她也發現，自己非常痛恨比水草還沒原則的男友！

把祝福寫在空氣中

這些都是真實的例子。

想必有許多人曾收到令自己非常不快樂的喜帖；對許多適婚年齡的男女而言，「新郎新娘不是我」實在是感情上的七級地震。你該怎麼辦？安慰他？不必了，他轉眼有了老婆又有了孩子。妳安慰他，誰來安慰妳？這一安慰，意志不堅的，恐怕又糊裡糊塗的當了第三者。要不要參加婚禮？我看，

大可不必顧慮風度，把喜帖丟垃圾桶算了；如果真的要顧全風度，那也可以託人送禮金去，千萬不要打扮得花枝招展去和新娘比美，然後哭倒在「露溼苔階」。

至於他那些「其實我更愛妳」的演出，不過是為了彌補妳的缺憾和他的愧疚而已，妳太心軟是害人害己。

還是給自己一個公平的待遇，最寬宏大量的做法是把逝去的愛還給風，把祝福寫在空氣中，縱然他做出錯誤的選擇，也是他的自由，妳還是另謀高就吧！

幾年來支持她繼續這段愛情的原動力，不是愛，而是她好強的本性。

找不到MR.RIGHT的女人

有時候我懷疑，男人和女人是否真的彼此適合？也許他們應該比鄰而居，互相拜訪就好。

——凱薩琳・赫本（知名女星）

找不到MR.RIGHT的女人，可以分成下列幾種：

一種是不想找的。這種人其實很少，那就算了，你有不談戀愛或不結婚的自由。

一種是找不到的。理想很高，真的找不到，那也只有緣分，我相信「寧缺勿濫」，好歹妳對得起自己。

但尋尋覓覓找不到的人之中，有一種是因為「不能忍耐瑕疵品」——也可以說「太懶得溝通」而根本不可能找到完美情人的女人，因為世上根本沒有她要的「極品」存在。

太懶得溝通，找不到「極品」

在廣播節目中和聽眾聊天，主題是：「我最不能忍耐他的地方」。有名女子形容得相當生動，她說，她最不能忍受的是情人的貪小便宜。

「幾年來，他其實對我很好，可是我不能忍受的是，他在公司負責採購，會把用公司的錢多買的原子筆、檔案夾多買一打給我……很多次都這樣。有一次他朋友的錄影帶店倒店，叫他要拿多少就拿多少，他拿了好幾套偶像日劇來送我……我就是很難忍受這種常常『慷他人之慨』的作風。」

她說她是在嚴格的家教下長大的，從來認為「不是自己的東西不要拿」，因而這位男友的行徑，在她想來必然暗示著某種重大的瑕疵。

「他很節儉？」

「嗯，因為他家境清寒，一切得靠自己。」她說。

退回瑕疵品，好歹也要有個退貨原因啊！

「妳告訴他妳不喜歡他這樣了嗎？」

「沒有。」她決絕的回答：「我寧為玉碎，不為瓦全。只要不好，我就不要了，我幹嘛對他說？」

「假公濟私」固然是種不太光明正大的行徑，但這位男子也有他無辜的地方，幾年來，他完全不知道女友把他的「借花獻佛」視為「不可原諒的惡德」，他可能還沾沾自喜呢！

我可以想像，這名可憐男人捧著原子筆和錄影帶想要跟女友「討賞」的模樣，和他女友「錯綜複雜」的面部表情。

他一定覺得自己被莫名其妙的淘汰出局，也沒發覺自己有任何討人厭的理由。

我建議，「下次」如果她發現男友有任何看不順眼的地方，不如還是表達自己的想法，至少，溝通不成再把他三振嘛，死刑犯也得要知道自己是怎麼死的。

「哦！」她若有所思的發出這麼一聲。

退掉瑕疵品，也要有原因

你有沒有談過「不知道自己是怎麼死的」的戀愛呢？很多人有這種經驗，又沒第三者，情人也沒嫌過他，忽然有一天，他就被判了死刑。他愛你時，會吞忍你，不肯說；當他受不了的行為被不知情的你一再重複，消蝕了愛意，久而久之，你的「犯罪檔案」堆積如山，成為你非出局不可的原因。

這個原因，你永遠不會知情。

實在不甘願，對不對？

一點也不想告訴情人，「喂，別這樣」的人，是最容易變成「翻臉如翻書」的。

設身處地想想吧，如果你是那個「貪小便宜」的男人，至少希望情人告訴你，他不再愛你的真正原因。好歹給個機會改進嘛！

至少，溝通不成再把他三振嘛，死刑犯也得要知道自己是怎麼死的。

其實，我們每個人都是瑕疵品，生長環境不同，許多認知都不一樣。
退回瑕疵品，好歹也要有個退貨原因啊！

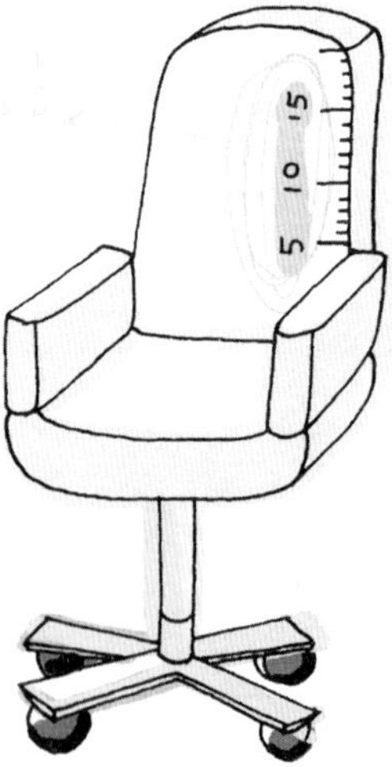

女人老想找飯票

採金需知藏金處，除非你只是想活動筋骨。

——John M. Capozz

惠萍和男友交往已經五年多了，彼此都很習慣對方，沒什麼好挑剔的。沒想到這一年，男友的爸爸生意失敗，房子被法院拍賣，全家人都在為這一家之主的債務奔波，男友尤為盡力，早上去賣早點，晚上去擺地攤。惠萍很心疼他，有時會去幫忙，但卻常因「你都沒時間陪我」而吵架，男友的觀念是：妳也應該和我為將來打拚啊，幹嘛還扯我後腿？

惠萍是在小康之家長大的孩子，實在不適應男友的家裡被經濟風暴捲成這麼殘敗。她說：「在我的觀念裡，男人是應該給女人幸福，不該讓女人辛苦的，大家都認為我不該和他在一起了，可是這五年多來他對我一直非常非

請記得，「拿人的手短，吃人的嘴軟」這句俗諺。

常的好，也許交下任男友不會比他更好吧，我該怎麼辦呢？」

男人不該讓女人辛苦？

這種問題，對上一代的女人比較不成問題，我們都看過非常多「不管有多苦，我要和你共度」的例子，但對這一代從沒吃過苦頭的女孩而言，愛情再偉大，男友再理想，都沒有連唱KTV都沒錢來得可怕。也許現代的女孩會很不服氣，說：「我才不是你說的那個樣子！」

那是因為沒有遇過實際狀況，實在想不到被「窮」逼急了的痛苦。惠萍在男友家遭逢劇變時，也曾好言安慰啊，但時間一久，男友還是被錢逼得焦頭爛額，她也受不了了，懷疑男友口口聲聲說「我們應該為將來打拚」，是想多找個人來賺錢。

願不願意共度難關？我覺得那得看惠萍自己的選擇。她的男友看來是個有責任感、也吃苦耐勞的男子，並不是個只為自己享福卻讓女人辛苦的男

子，也沒有因為經濟危機逼惠萍幫他調度。相識了這麼久，他也一定沒想到，女友在愛情的精神和物質層面全想撿甜頭吃，不肯體恤他的苦處。

不只是在惠萍的觀念裡，大部分年輕女孩觀念裡都有這樣的念頭：「男人應該給女人幸福，不該給女人辛苦」；以前的女人，因為沒啥工作機會，沒受過教育，社會沒有提供足夠的就業機會，只好找「長期飯票」以謀求一生幸福——這種積習到了現代，其實也沒什麼改變。

這個世代，某些傑出女性的虛榮嘴臉，有了些美化和掩飾，但程度仍有增無減；儘管自己已經相當會賺錢，處心積慮想嫁給「第二代」的女孩仍然很多。

影劇版上，某主播或某明星和「企業家第二代」談戀愛的新聞總是刊在最醒目的位置，有的還會利用媒體放新聞來逼婚；在我的網站裡，也曾接到一位要求「介紹一下逼婚方法」的女子來信。她說，她認識的是一個條件好事業心強的醫生，又是中型企業家的第二代，他要能幹的妻子分憂解勞，於

儘管自己已經相當會賺錢，處心積慮想嫁給「第二代」的女孩仍然很多。

是她為了男方也拚了命讀書，唸了企管碩士，使男方十分感動。但是，他卻遲遲不求婚，該如何逼婚呢？

她為了愛情拚命「上進」的恒心實在驚人。但我想，兩人既已這麼熟悉，何需出花招逼婚？如果他真想娶妳，何需妳「逼」？溫和的問，直接的問，給他時間考慮，可能比較合乎男人的思考邏輯，他也不會娶了妳卻心不甘情不願。

女子在字裡行間洋溢著無聲的虛榮感，使我擔心，她即使得到她想要的一切，也會失去愛情中最值得珍惜的東西。

考慮一下妳要付出的代價

我也擔心她會發現，豪門子弟的生活沒有她想像那樣高枕無憂。前不久看了一篇某雜誌的報導，某位為了想嫁給大企業家第二代，在耳朵刺青表愛意的高學歷女子，生了孩子也沒取得大家長的諒解，鬧完新聞後藏在英國過日子，每天憂心孩子會被搶走；小開對她也沒有昔日大方，連生活費也要委委屈屈才拿得到。

我想，如果她能發揮自己的聰明才智，不要走過這條看似捷徑的險路，現在一定會過著有尊嚴的生活吧！

你一定聽說，主播台是企業家們物色對象的好地方，「飛上枝頭」的主播們不可勝數。

有一位新聞界朋友告訴我，她那嫁入豪門的舊同事最近十分希望能夠復職，因為婚後退出職場，變成夫家的人，雖說是富貴人家的媳婦，陪先生公婆吃喝當然輪不到她埋單，但大家也不覺得她需要什麼零用，用的還是自己婚前的積蓄。從前自己賺錢買名牌沒人管，現在非常怕有人說她浪費，基於自尊她也不敢伸手討。另一方面，她實在沒法再過公公一咳嗽，她就要遞痰盂的生活……還是原來的工作快活啊！

在我看來，現代女人或多或少竟還是有找長期飯票的想法，只是程度輕重不同而已。請記得，「拿人的手短，吃人的嘴軟」這句俗諺，問問過來人好了：妳要付的代價常比想像中高啊！

我想，如果她能發揮自己的聰明才智，不要走過這條看似捷徑的險路，現在一定會過著有尊嚴的生活吧！

柴可夫斯基症候群

愛是一朵生長在絕崖邊緣的花，想摘它必須有勇氣。
——莎士比亞

很多女人想結婚，但同年齡的男人可能常有「匈奴未滅，何以家為」的氣魄。女人一再暗示，他們就是很有原則的認為：「我覺得應該等經濟有一點基礎再說。」遲遲不肯單膝跪下，使想當新娘的女人心急如焚。

有些男人自覺年紀到了，在家長催促下想結婚，奈何女友可能比他們年輕，剛出社會，自覺沒玩夠，不想一頭栽進家庭；不然就是女友覺得他有某些爛習慣還沒改掉，她的安全感還不夠，實在沒辦法說：「是的，我願意。」

逼婚的手段，其實都是一些老招數，溫和點的塑造各種氣氛，用盡各種關說；霸王點的則以「在保險套刺幾個洞」製造既成事實，但「市面有售」

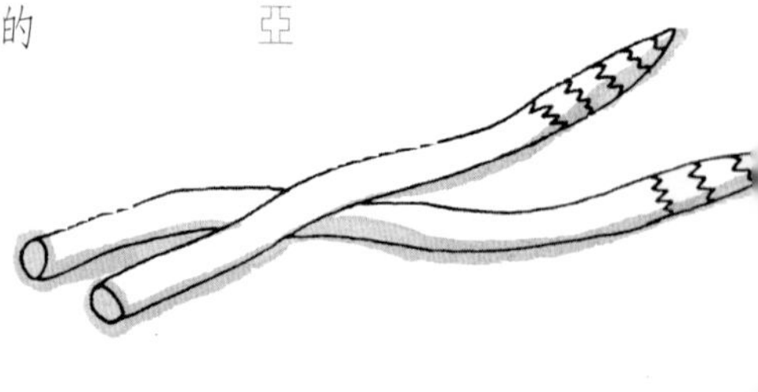

的逼婚方法中，最嚴厲的莫過於「你不娶（嫁）我，我就死給你看」。

有些人看愛情越來越理性，也總有些人談戀愛手段越來越激烈。一個會以死相逼以求得到婚禮的男友或女友，在這個時代真是屢見不鮮。這種「視結婚比命還大」的人，通常是在另一方腳踏兩條船時會搏命演出。

心太軟、只想彌平一時紛爭的，會選擇鬧自殺的那一個；珍惜自己長久幸福的，就比較能夠忍一時之痛，對這樣的不定時炸彈敬而遠之。但這些有遠見的人心臟得夠強，因為，萬一他玩出命來，一有三長兩短，你的內疚很難抹去，而他的親朋好友也會不分青紅皂白的同情弱勢者，把矛頭指向你。

依我的觀察，現代人還是心很軟的，有不少人還是選了「以死相逼」的新娘或新郎。有位痛苦至極的網友已經做了選擇，進了禮堂，還問我該怎麼辦？他說，他每天回家的感覺，比以前每一次被通知後趕到醫院急診室看她時更不舒服。

急症變成了慢性病；他的心地很好，卻沒考慮到，婚姻不是結婚進行曲

婚姻不是結婚進行曲演奏完，就交差了。

演奏完，就交差了。

婚姻可不是冬令救濟

我愛莫能助；每一次看到這種例子，我總是想到柴可夫斯基。

柴可斯基在三十七歲那年，收到一名過去的女學生的愛慕信，他回了信，並且無法拒絕她的要求見了她，結果那位叫安東妮娜的女學生愛他愛得無法自拔，以死相逼，柴可夫斯基就面臨了選擇。

在他寫給紅顏知己梅克夫人的信中，可以看到他對自己的未來命運做過評估：「在我的面前，出現了兩條路，一是犧牲她來保護我自己，二是和她結婚而犧牲我……」結果他竟然選擇把婚姻當成冬令救濟。

結果當然不是王子與公主快樂生活在一起。柴可夫斯基一個月後就體會「這種日子再過兩三天我就會瘋掉」，變成他自己企圖投河自殺，而且不只一次。

新婚三個月後，他藉故逃亡了，而且，到死也沒有回來看妻子一眼。當時全莫斯科的人都在譴責他，同情安東妮娜，他只好躲起來。

我覺得柴可夫斯基很可憐，卻很難真正同情他。畢竟，那是他自己的選擇呀！

同情並不是愛。強摘的果實不會甜——現代人應該都知道這些道理了，為什麼還有這麼多柴可夫斯基的兄弟們，和安東妮娜的好姐妹呢？

每一次看到這種例子，我總是想到柴可夫斯基。

姐姐妹妹差很多

在愛情上，也許你寧濫勿缺，但選擇婚姻，還是寧缺勿濫吧！

每年到了年底，紅色炸彈就會多了起來，適婚年齡的人，免不了被炸個幾回。

也許這時候特別能體會孤枕難眠的滋味，總是可以看到一些自覺年紀到了的人，終於放棄「眼高手低」的原則，很努力的把自己嫁掉，或娶個老婆好過年。

一個人要是狗急跳牆了，都像中了蠱一樣，再離譜，再不登對，他也會告訴自己，他就是我今生的唯一。特別是收到舊情人紅色炸彈的人，特別容易中了這種魔咒，存著「既然他有，我也要有」的想法火速結婚，聰明人也

會一時昏了頭。

急中生智是很難的。法國有句諺語說：「選擇愚蠢的婚姻，是天才的證明之一。」最能證明這句嘲諷的，應該是被稱為「交響樂之父」的海頓，就因為一時急著娶妻，享受了一段長達四十年幾乎被逼瘋的婚姻生活。

海頓曾在寫給朋友的信上說：「我的妻子簡直就是地獄中的魔鬼，她寫了很多莫名其妙的蠢話給我，她每天都在煩惱一些無聊的事情，使我家從早到晚都沈浸在悲慘的氣氛中，這種事對我已是家常便飯……」

還是寧缺勿濫吧

在音樂史上，大概只有海頓的夫人可以媲美哲學家蘇格拉底的悍妻。她會在海頓作曲時，請人來家中誦經，除了對待教會裡頭的人以外，對人一律刻薄，也酷愛吵架。她總是告訴丈夫：「只要會賺錢，不管是皮鞋匠也好，藝術家也好，都沒有差別。」於是，海頓剛寫好的樂譜，竟常被她拿來當髮

在音樂史上，大概只有海頓的夫人可以媲美哲學家蘇格拉底的悍妻。

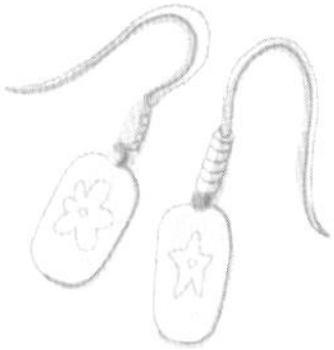

捲或揉麵團的墊子。

海頓怨不了別人，這個婚姻可是他自己的選擇，他結婚時已經二十八歲了，可不是年幼無知啊！當時的音樂家，除了作曲外，總得兼點「家教」，海頓教一個理髮師的小女兒彈琴，很快的愛上了這個學生，沒想到學生寧做修女，不做他的新娘（海頓是「我很醜可是我很溫柔」的類型）；這時，聰明的理髮師便推薦自己的大女兒。

海頓可能以為姐姐妹妹應該差不多，急著要安慰自己被拒絕後的沮喪，同意了這件婚事，娶了當年三十一歲，每個人都認為是「非常固執」的新娘。

以脾氣來說，海頓可以說是史上ＥＱ最高的音樂家之一了，但他也受不了夫人的刻薄。萬一海頓拿回家的錢不夠，她就會寫這樣的信給丈夫：「現在家裡一毛錢也沒有，如果你死了，就沒錢埋葬你！」

論無理取鬧，海頓夫人其實也算是人中蛟龍，「嘴賤」的程度大概不會比現在當紅的綜藝節目主持人差。兩個不同領域的「天才」所譜出的婚姻，長達四十年——夫人是虔誠教徒，死也不肯跟海頓離婚，而且活到了七十一歲的高壽；海頓到六十八歲才重獲自由。

這個婚姻，可以做為「寧缺勿濫」最好的例子。

其實，海頓也有錯，如果當初他不要「沒魚蝦也好」，夫人說不一定可以一直當單身貴族，說不定會嫁給一個會賺錢的皮鞋匠，兩人都可以倖免於婚姻的折磨呀！我想，夫人拿樂譜當髮捲、揉麵團——材質不對，用得也不太順手吧！

即使是同一個父母養出來的，姐姐妹妹還是會差很多。海頓的例子是個警告：還是寧缺勿濫吧！當你的情人送給你一顆紅色炸彈，千萬千萬別氣急攻心，做出錯誤決定，要沉得住氣啊！

即使是同一個父母養出來的，姐姐妹妹還是會差很多。

怎樣才是好男人？

多少世紀以來，女人一直把男人的重要性看成原來的兩倍以上。

——Virginia Woolf

某電視節目中，製作單位徵求妻子眼中的「完美老公」來上節目，這些老公雖然稱不上完美，但都有與眾不同的可愛之處。後來，有觀眾來電，為什麼不請完美老婆來上節目呢？女製作人開玩笑道：「因為太多了，所以不稀奇。」

一直到現在，完美老婆常意味著極度的犧牲與成全，成全了所有人，但除了以親人為榮之外，很難說出自己生命中有什麼光彩與幸福，在「享受人生」這一頁上留下的多半是空白。可以想像的，節目會做成多麼像莒光日的教學錄影帶，充滿著忠孝節義的光輝。

找到好男人仍然比找到好女人困難？無可諱言，在這個時代，依然是的，但男人女人都在進步，兩者之間的落差已經沒那麼大了。

別把幸福建築在你的不情願

什麼是好男人，各人所需不同，如果你的要求越低，他必然越接近完美。如果一定要有個條件可循的話，對我來說，那個標準在於：「他會不會把他的幸福建築在你的不情願上頭？」不管妳要的男人需具備何種外在條件，聰慧的女子若想一生無怨，這個要求必不可少。

在雜誌上看到一位我素來景仰的前輩女作家訪問稿。才貌雙全的大學教授提到了一段話。她說，為了雜誌的採訪，她把自己的著作目錄整理了一下，並把出版年月也標了出來，沒想到這一整理，發現

那個標準在於：「他會不會把他的幸福建築在你的不情願上頭？」

自己的著作也不算少呢。拿給先生看，先生眼尖的發現某一大段年分的空白，問她：「妳民國五十五年前在幹什麼呢？」她回答：「大概全心全意在照顧孩子吧！」

她說，這個回答丈夫當然很滿意，但她卻有一點辛酸。長於富貴之家，嫁作人婦之後才貌雙全的女子，努力的克服了無法做羹湯的「羞愧」，把人生的精華歲月，像添炭火一樣埋進了舊時廚房的爐子裡。

那一個時代，無論是如何多才多藝，只要進不了廚房，就會覺得自己沒資格做賢妻。

我看了那一段文字，也覺得心酸酸的。

我也喜歡「偶爾」（就是在我高興的時候）做些創意菜，邀少數朋友來飲宴，男友也很捧場。但我的時代已經不同了，我未曾因為不會做傳統功夫菜而羞愧，下廚的時間，邀請的客人其實也全依我的決定，是「行有餘力，才來下廚」，沒有任何拿手藝來討好人。

更讓我覺得幸福的是，我篤定身邊的男人不會在我辛酸時感到滿意，也絕不會因為我放棄自己喜歡做的事、放棄決定要過的生活，而覺得很光榮。

他從不阻撓我決定的行程，正如我從不阻撓他的決定。

我們不以強迫對方為樂。

他的前途可以不是我的目標，我的愁苦絕不會是他的快樂。

懂得自己該做什麼事來讓對方輕鬆愉快，靠的是自己成熟的自制力。

尊重你的人生樂趣

有一次有人問我：「妳每天花那麼多時間工作，如果愛情和寫作妳只能擇其一，妳要選擇什麼？」我聽了這問題，十分驚訝，哇，這什麼時代啊，我才不選擇。跟一個有「愛我，就要為我犧牲你的人生樂趣」觀念的人，值得談超過三個月的戀愛嗎？有這種想法的人，簡直是愛情以虐待為目的，怎能相信，他是真的愛你呢，他只是深愛他自己。

一個好男人，是不會打著任何藉口，對妳的壓抑感到滿意。

沒有任何條件比這個要件來得重要。一個好男人，是不會打著任何藉口，對妳的壓抑感到滿意，一點也沒想分憂的男人。

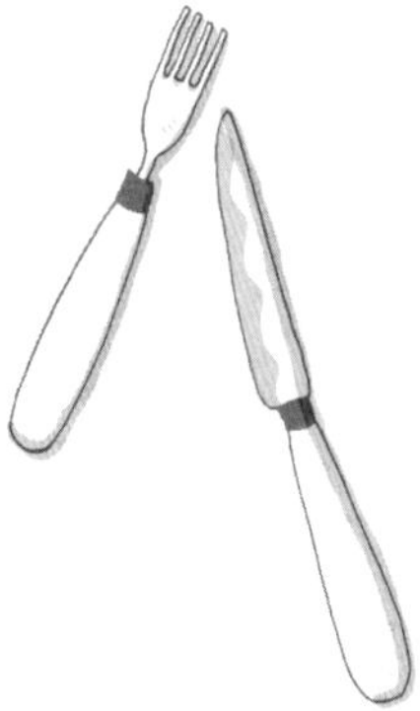

Part3

以尊重，常保真情義

失去了平衡，愛得無微不至，就變成了煩；好事作盡，變成愛管閒事。愛，到底要要讓你愛的人在兩性關係中找到他的長處，他可以發揮的地方。

要命的親密稱呼

每次看到你，我就很想獨處一下。——Oscar Levant

這是兩個準博士的婚姻問題。

女的優秀，男的傑出，兩個班對結了婚後，在雙方家長的祝福下到美國唸書。學校沒教的愛情習題，進入了他們的生活。

老婆發現，老公一天比一天晚回家，孤獨的女人本來還可以在家中讀書寫報告打發時間，但越來越難以忍受一室的孤寂。老公學校的功課可沒那麼重，他情願到朋友家殺時間，與同學喝咖啡，也不願意回家和老婆面對面。

老婆只好上電腦找網友聊天，也發了一封中英文夾雜的信給我。她說，她真的好恨一個人在家枯等的日子，為什麼她越來越寂寞？愛是不是一定會

使人這麼寂寞？

我看她真的讀太多書而無法活用知識，習慣寫論文，於是把一個實際的「老公不肯回家」的問題，擴大成「愛的哲學」的問題。

負面綽號，長久必然有害

其實她大可不必花許多夜晚苦思問題的來源，只要一兩句話，也許就可以解決。她的第一句告白，就顯示出問題的所在：

「白痴是我們結婚後最常掛在嘴上罵對方的話……」

現在的親密愛人之間的稱謂，有的實在不比以前夫妻高明到哪裡去，以前對別人稱自己的老婆叫做「賤內」「拙荊」，實在夠不尊重；現在很多情侶的親密稱呼，更令人不敢恭維。

剛開始的時候可能覺得很好玩——兩個書都唸得很多的人，開始一場知識性競賽，你問我這個問題，我覺得很膚淺，所以我罵你「白痴」；你不甘

其實她大可不必花許多夜晚苦思問題的來源，只要一兩句話，也許就可以解決。

示弱，找機會回敬另一個「白痴」，於是兩個人都變成了「白痴」；想想，你回到家裡，就有人罵你白痴，你會喜歡回家嗎？

被罵第一次，可能還會自我解嘲，但是誰喜歡一直被罵白痴？

一對恩愛夫妻相互間的稱號，不是「親愛的」「honey」就是「寶貝」，總之，必然是能夠引起直覺性愉悅的稱呼，好歹有點讓人消除疲勞、恢復精神的效果。任何帶「負面因子」的綽號，長久以來必然有害。

如果你一定要強調女友胖，寧可叫她「楊貴妃」，也不要叫她「汽油桶」；長得嬌小玲瓏，你叫她「hello kitty」或「皮卡丘」，總比叫她「矮肥短」來得討喜；就算他自己也承認自己身材不高，寧願妳叫「拿破崙」，也不願妳叫他「大番薯」吧！

白痴，真是個要命的綽號！

我請這位年輕的準博士，別再對電腦抒發鬱悶了，還是對他直接說，妳很害怕一個人在家的寂寞，不然，他還以為他送給妳很多時間寫報告，以為妳既獨立而快樂呢！也請她檢討自己的口德，可不可以自己先改掉罵他「白痴」的習慣呢？

不到幾天，她回信謝謝我，她說了。果然，另一位準博士一點也沒發現，自己的老婆竟然寂寞到這種程度！

Y世代，別輕易叫他「豬頭」或「機車」

即使愛對方，我們也常忍不住想要取笑對方的缺點。

有一次訪問一對結婚三十五年的夫妻，太太的願望竟然是：我希望他不要再叫我「不識字的」；太太因家境關係沒讀過書，先生取笑她「不識字」，久之就變成口頭禪，一有爭執，這幾個字更成為她百分之百自卑的理由。先生覺得自己是在「開玩笑」，沒想到太太真的是這麼在意。

改掉叫人家難聽綽號的習慣，需要痛下決心啊！你一定想不到，一個他已習慣到有點無奈的綽號，會這麼有殺傷力！

Y世代，別動不動說他「豬頭」或「機車」囉！

一個他已習慣到有點無奈的綽號，會這麼有殺傷力！

失落的荒野大鏢客

我們的一言一行，成就今天的我們。——Dean Stanley

他一向以「酷」著稱，也娶了一位有俠女性格的女子為妻，剛開始是惺惺相惜；她喜歡他的男子氣概，他也覺得她的任性很可愛。

朋友笑說他們的相遇是金庸小說裡的喬峰遇上阿紫，兩個人都不是簡單人物，各有各的酷，雖然在武俠小說裡頭，這兩個烈火雄心的人不曾來電，但在現實生活中，他們成為結髮夫妻。

「反正我也沒別的女朋友，看妳敢不敢嫁給我，隨便妳！」這麼決絕的求婚辭，換來女方「誰怕誰」的允諾。

俠客和俠女在婚姻生活中，仍保持絕不認輸的堅毅性格，也發展出了獨

特的吵架模式，誰說不過對方，就把身分證一丟，說：「拿去，去辦離婚啊！」

孩子也有了，身分證依然丟來丟去，只不過，誰都沒有真的去找「見證人」辦離婚。因為有俠氣的人都最愛面子嘛，要他們兩人為了離婚而求人來蓋章，面子真的掛不住。

很不巧的，在天時地利人和的配合之下，兩人「莫名其妙」的離婚了。前一天雖然吵了架，第二天他們還帶小孩到某兒童樂園去玩呢！開車經過某大樓，他看到一個寫「專辦離婚」的招牌，故意激駕駛座旁的老婆：「喂，昨天妳不是說要離婚嗎？妳敢不敢上樓去？」

「誰怕誰啊？」妻子不甘示弱的說。

兩人上了樓，該事務所的人看到他們帶著孩子來，故意推託，說是一時沒法找到見證人，要他們下次再來。他的「消費者最大」的意識抬頭了：「明明是上班時間，怎麼會找不到見證人，你們不是專辦離婚嗎？」

俠客和俠女在婚姻生活中，仍保持絕不認輸的堅毅性格，也發展出了獨特的吵架模式。

該公司看他來勢洶洶，好像非辦不可，於是拉開抽屜：滿滿的身分證件和印章，原來見證人都在抽屜裡……當天，他們辦好了離婚，妻子心灰意冷，也帶了孩子搬出家門。

小心硬脾氣會結出惡果

他現在非常懊惱，實在不習慣沒有她的日子，想想她除了脾氣硬之外，對他也蠻好的。他對我抱怨「專辦離婚」公司「居心叵測」……

「唉，你不能拿刀子砍傷自己之後，還怪刀子太利啊！」畢竟，是他主張要離婚的，雙方也都同意。

姑且不論由不在場的見證人離婚是否無效，他這種「荒野大鏢客」型的酷哥，實在有必要檢討，自己有沒有那麼酷的必要？

「以前，她每次丟出身分證時，你有沒有一種受傷的感覺？」我小心翼翼的問他，怕他打死不承認。

「嗯……是……是很受傷……不過……反正常常這樣丟來丟去的嘛！」

「你有沒有想過，你丟出身分證時，她也非常受傷？」

「她會嗎？我看她也習慣了，鐵石心腸。」

他陷入沈默，將心比心，他知道她也很受傷。她再剛強，也沒有他剛硬；他都會深覺受傷，難道她會安然無恙？

倒楣的荒野大鏢客，心不甘情不願的離了婚。

種瓜得瓜，種豆得豆；如果不想結出這種惡果，別硬著脾氣播種啊！

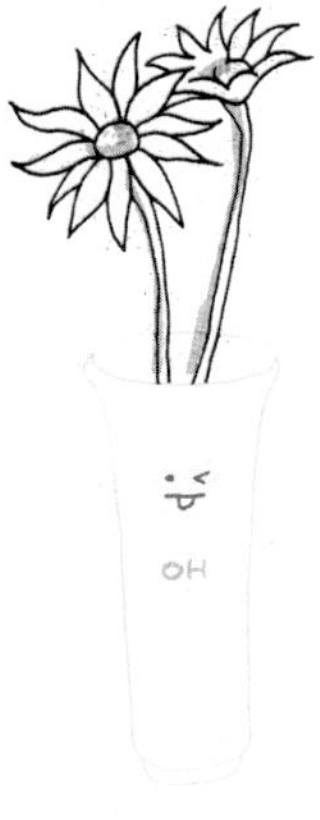

如果不想結出這種惡果，別硬著脾氣播種啊。

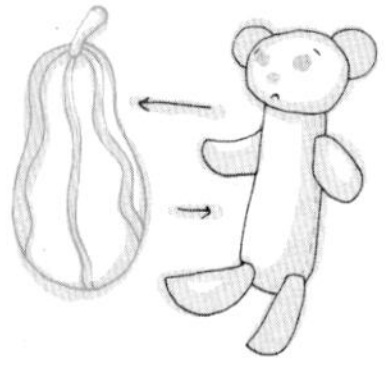

精神上的黃臉婆

如果你想要和別人做朋友，就讓人家幫你一點忙吧。

——富蘭克林

走過夜市賣花生小湯圓的攤子，嗅覺正被撲鼻的香味誘惑，聽覺卻被佇立街旁爭論的一對夫婦所吸引。

「買衣服就是直覺，妳第一印象覺得不錯，就該買了，現在還要走回去，很遠、很累耶！」丈夫有點不甘願的抱怨道。

「第一印象？第一印象總是錯的。每一次靠第一印象買衣服，都買了一堆第二次就不想穿的衣服……」太太的聲音比丈夫冷硬。

「那妳要怎樣嘛，現在走回去，搞不好人家店門都關了。」確實不早了，賣衣服的店家們唏啦嘩啦的拉下鐵門，打烊了。「好啦好啦，就走回去算了。」

「萬一買了不喜歡，送人也很麻煩。我媽媽我祖母都一定要貨比三家……」太太繼續吐著無關現階段行動的牢騷。

我在一旁神秘的抿嘴而笑。

這位太太十分年輕，不會超過三十歲，原本應是五官明秀，但她臉色難看，看來就和「美」字連不上任何關係。

多數男人的浪漫是被澆熄的

她的先生算是個慷慨的男人了，要她第一印象就下手買，別這般猶豫磨菇，反正夜市裡的衣服也沒多少錢。對一個男人而言，要他在人潮洶湧的逛街路上來來回回、舉棋不定的走來走去，比老婆買了衣服不穿來得嚴重。

老婆卻不領情，硬要提出「反對意見」。而且，她犯了一個人際關係的大忌諱：反對意見被無意識的擴張，忘了真正的「標的物」，丈夫是陪她出來買衣服的，可不是出來和她開辯論賽的。

旁邊店家日光燈一盞一盞暗了，這一對夫妻仍像暗夜中對決的劍客，僵立原地，顫動著嘴唇。

女人常犯類似的毛病：想要「母儀天下」，為了表現自己是個賢明勤儉的女人，動不動就提「反對意見」，甚至反對丈夫的一點慷慨。「買戒指給我，太浪費錢了！」「你上次買回來的花，一定在冰櫃裡放太久，擺了一天不開也就算了，還發霉哩！」「不要去大飯店吃飯，」雖然她也很想在母親節去浪漫一下，「在我們家巷口吃炒麵就好了，不然就去超市買菜，大家吃得經濟又實惠！」無意間，否定了丈夫的好意，想贏得一點讚美的男人反而被潑了冷水，他很難再有「下一次」獻殷勤的機會。

某些男人天生不浪漫，但多數男人的浪漫是被澆息的，然後，女人開始責怪男人不浪漫。其實女人先不浪漫。

妳若覺得鮮花放不長，好歹也要好言好語請他改送盆景，也要送上深情

一吻為謝禮。

妳在有意無意間，拒絕他的好意了嗎？

我們這一代的孝子賢孫多半有這樣的經驗：很想對爸媽好，某處開了一家格調高雅的餐廳，想請沒過過好日子的爸媽去開開眼界。沒想到，媽媽（爸爸通常不表意見，有得吃就好）從第一道菜批評到最後一道菜：

「這不過是秋葵嘛，市場一大堆才十塊錢，這樣一小碗就要一百塊，騙肖！」

「任何牛小排只要醃二十四個小時，味道都一樣，下次我做給你們吃。哇，六百塊一道，我實在吃不下去。」

子女一番好心，卻如坐針氈，每一道菜來時，大略都可猜出賢明的母親想說什麼。

付帳時覺得好心痛，不是因為價錢，而是因為好心沒好報。

旁邊店家日光燈一盞一盞暗了，這一對夫妻仍像暗夜中對決的劍客，僵立原地，顫動著嘴唇。

女人不是有意的，但卻喜歡在有意無意間標榜自己勤儉持家的美德，也在有意無意間，變成精神上的黃臉婆。

想要男人討妳好，別先拒絕他的好意。

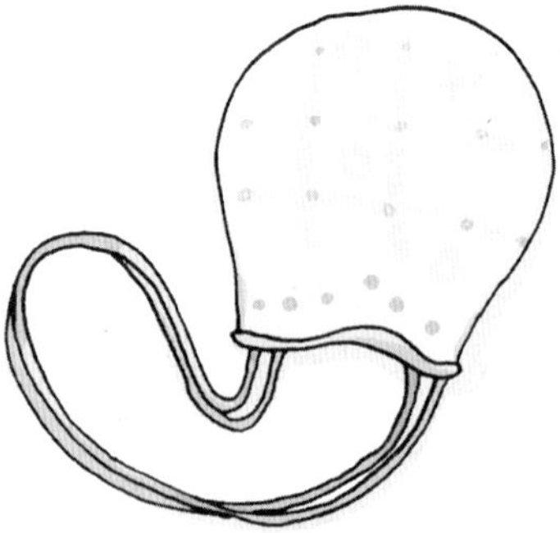

創造微妙的平衡感

船不靠岸，就游到船那裡去！

——Jonathan Winters

朋友傳給我一個網路笑話：一對恩愛甚篤的夫婦正慶祝他們的金婚日，看熱鬧的中年鄰居問老先生說：「為什麼你們可以維持五十年的婚姻，打從我出生起，就未曾聽過你們吵架的聲音，難道你們之間從來沒有任何的爭執？」

老先生說：「爭執當然是有的，不過都不會擴大。我從蜜月旅行的時候，就懂得這個道理了。那時交通不便，我們到大峽谷去度蜜月，一個人僱了一匹驢子，她的驢子顯然好吃懶做，走沒多久就賴在路邊休息，我只聽到我太太冷冷的說：第一次……

驢子第二次想偷懶的時候，她又指著驢子說：這是第二次……

當驢子第三次不肯走的時候，她不慌不忙的掏出她的左輪手槍把它斃了。」

「夫人真是太殘忍了！」

「可不是嗎？我看不過去，停在路邊指責她的不是，她並不跟我爭辯，只是冷冷的對我說：第一次……」

失去平衡的感情難長久

有些天長地久的婚姻是靠「恐怖平衡」來維持的。

我曾經看過一對棋逢對手的夫妻，先生脾氣暴躁，動不動就對老婆說：「妳不滿意，隨時可以走，孩子、房子都是我的！」而老婆也不是省油的燈，她也三不五時的警告老公：「你要帥沒關係，但如果你敢有外遇，我就在半夜割掉你的命根子！」兩人口出惡言已習以為常，但婚姻還是在某種暴力的

韻律感中逶迤進行，如今也已度過了二十個年頭。

恐怖平衡可以維持兩邊的「偏安」局面，但無論如何，是不會讓人有幸福感或安全感的。

在男女不平等的時代，人們對婚姻的看法是「男主外，女主內」，其實，每個人各有所主，要求的也是一種「平衡感」。

看阿公阿媽們的婚姻實例吧，如果他們各有所主，通常婚姻就沒多大問題，頂多伴隨著小吵小鬧過一輩子；如果出現了一個什麼都管的強男人，連家裡的事情都要鉅細靡遺的控制，老婆連使用私房錢及家用的權利都沒有，他做了再多，她都會哀聲嘆氣。相反的，如果老婆是女強人，除了家裡頭還要管起丈夫的營生，那男人再怎麼享福都會心生怨尤，總可以找出老婆討他厭的地方。

平衡感也隨著時代的要求，有不同的內涵。現代愛情中，平衡感一樣重要。失去平衡的戀愛，很難長長久久。

有些天長地久的婚姻是靠「恐怖平衡」來維持的。

一個男人剛開始可能會喜歡一個小鳥依人、一切以他馬首是瞻的女孩，但日子久了，他會覺得她怎麼那麼沒主見，連要買什麼顏色的手機也要問我，難道她沒有自己的判斷能力嗎？

一個女人剛開始也可能喜歡一個管東管西、「如父如兄」的男人，他對她的好，使她很陶醉，不多久，她會發現自己失去了自由，對他咆哮道：「你可不可以不要把我當做你的寵物？」

失去了平衡，愛得無微不至，就變成了煩；好事做盡，變成愛管閒事。

愛，到底也要讓你愛的人在兩性關係中找到他的長處，他可以發揮的地方。也許他剛開始很拙、很一無是處（那你到底愛他什麼來著？可能就是愛他的老實吧），好歹默默讓他試，讓他為你效點勞如何？

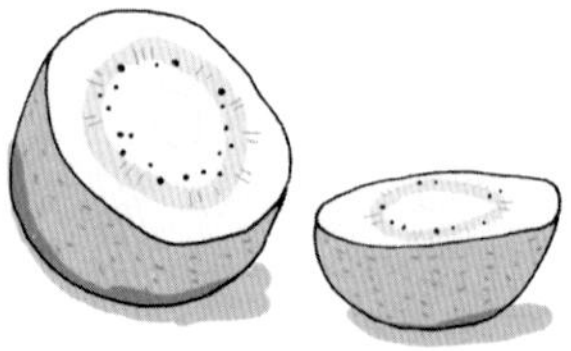

吃醋上癮症

嫉妒是對自己的侮辱。

——葉夫圖森科（俄國詩人）

吃醋有益健康嗎？

稍微吃點醋，可能是為了證明「我實在是很在乎你」，但吃醋吃得太頻繁、吃上了癮，就會因為追求刺激感而不惜同歸於盡。

某節目中訪問一對愛吃醋夫妻，這對俊男美女為彼此吃醋的光榮戰績真是驚人：家裡能打碎的全打碎了，還曾經因此撞壞了兩部車。

車是如何成為「感情的犧牲品」呢？原因是：老丈人得了癌症，太太與主治醫師相約談病情，怕愛吃醋的丈夫知道，因此祕而不宣，但丈夫還是神通廣大的一路追過去搭載，太太上了車後，激動的丈夫為了嚇她，一失手就

這種「讓感情常保活力」的方式，一般人大概沒法承受。

把新買的車子撞毀了。類似的車毀人未亡的經驗，一再在他們爭吵時發生。

太太也非省油的燈，她在家中電話裝置竊聽器，也不厭其煩的調出先生的行動電話通話紀錄，看看是否有任何重複的號碼。果然，有一天查出一名可疑女子，真是一則以喜，一則以憂，她終於有「反擊」的籌碼可以大吵大鬧！

兩人在人前還是一對恩愛夫妻，有時也以彼此的吃醋沾沾自喜，並且會向對方炫耀自己有多少追求者，以期點燃對方的醋勁。

這種「讓感情常保活力」的方式，一般人大概沒法承受。我想，他們大概可以算是「吃醋上癮症」的患者。

適度有益健康，上癮小心同歸於盡

兩個人都有此癖，還算旗鼓相當。萬一只有其中一人有此癖，另外一半可就苦不堪言。

有位朋友在廣告公司做行銷企劃主管，只要一出公司大門，便得向老婆報告行蹤。由於車子是公司派的，搭載同事到開會地點是常有的事，但之後他總是小心翼翼的檢查，是否有同事的毛髮留在車上——男人的落髮也不行，因為老婆會懷疑是個短髮的女人；但百密總有一疏，有天同事把遮陽板拉了下來，忘記擺正，老婆便「斷定」他一定載了女生，因為「只有女生才會把遮陽板拉下塗口紅」；椅座的斜度和平常不一樣也不行，因為「一定是有別的女人上了你的車子，擺出媚態」……我問這位朋友，他是否曾有前科，老婆才這麼不放心？他很無辜的搖搖頭。

另一半吃醋吃得過火，常使不斷被懷疑的人「眾叛親離」，沒有人敢跟他做朋友。不少「聰明」的老婆還會買通老公身旁的同事和朋友佈下眼線，使得「旁觀者」也左右為難。

過去當上班族時，就有一次經驗：同事的老婆邀我吃午飯，我不疑有他，一口答應。飯吃了一半，她有意無意的「切入正題」：「妳覺得我老公

另一半吃醋吃得過火，常使不斷被懷疑的人「眾叛親離」，沒有人敢跟他做朋友。

和坐妳隔壁的阿美會不會有外遇？」

我很想告訴她，阿美不可能喜歡她那禿頭大肚子的老公，但自覺缺德，只得保持緘默。她不甘就此停止，補充說明：

「如果我的老公和阿美有外遇，我會很高興。」

看著她因口是心非而扭曲的表情，我，只能轉頭看著窗外轟隆隆的車陣，一味祈禱：拜託！別懷疑我的品味就行。

悶葫蘆大丈夫

與人溝通，最重要的事是聽出沒說出來的話。

——Frank Hug

依傳統的標準，好男人就是要有責任感，這意味著好漢做事好漢當，男兒有淚不輕彈，一家都是他在養，外頭吃了悶虧絕不回家投訴……

在日本經濟不景氣的時期，就出現了不少匪夷所思的例子：有個中年男人被公司裁員，不敢告訴太太，每天還是穿西裝打領帶出門，拿著太太為他準備好的便當，四處尋找打零工的機會，不然就是四處借貸，看能不能湊點錢回家，每個月一樣把薪水袋拿給太太。過了幾年之後，太太上街血拚時才發現，躺在路邊行人道椅子上的那個男人，竟是自己的枕邊人！一切真相大白。太太有點感動，但實在沒法感激丈夫：這麼大的問題，怎麼把自己瞞了

家庭是生命共同體，沒有人的情緒能夠不被悶葫蘆所影響。

好幾年呢？

我可以推測，這幾年她也看足了丈夫奇怪的臉色，每次想問他：「你最近是不是心情不好啊？」丈夫會咳兩聲，說：「沒什麼，沒什麼，睡吧！」為了面子，他硬是不肯說出他失業的事實。

丈夫不說，是怕太太擔心，但基於女人敏感的天性，這種隱瞞，對太太而言，更不好受，大部分的女人寧願與你有難同當，也不願在兩手拿著百貨公司的提袋時，發現街上的流浪漢是自己的丈夫，恍然大悟時心裡也添了千斤重的罪惡感。回頭想想，她可能還會覺得丈夫不夠了解她：「這麼大的事，為什麼我不配知道呢？難道你覺得我不能和你共患難？」

心事埋心頭，只能贏得冷漠

走極端都會出問題；有些男人永遠長不大，什麼都要女人幫他解決：小至修理家裡的電燈泡、馬桶、交水電費，大至債務危機、人際送禮，甚至自

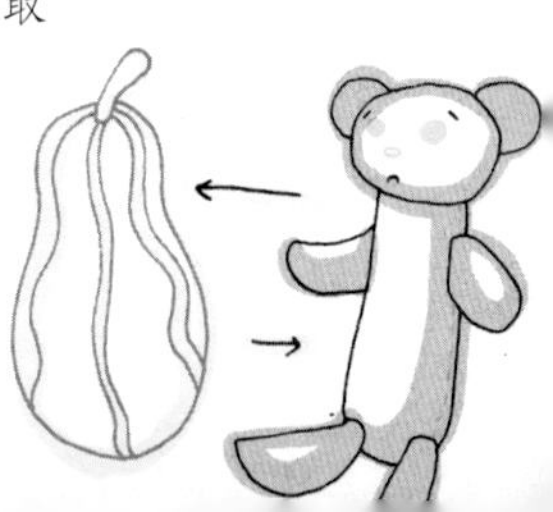

己收拾不了的外遇……全部都涎著臉向另一半討救兵。

在公司受了氣，回家又發洩在老婆、小孩甚至家裡的狗身上，使每個家人變成受氣筒，這種人久而久之會在家中變成一座「孤島」。但也有一些「傳統的好男人」，大有好漢做事好漢當的善意，在大小災難發生時，一律把心事深埋心頭，卻也只能贏得家人或情人對他們的冷漠和疏離，一樣成為汪洋中的孤島。

大宏，自認為是個標準的好丈夫，他白手起家的公司最近出了點問題，使他每天忙得焦頭爛額，回家總是拉長著臉。太太問他為什麼心情不好，他總是搖搖頭說沒事；公司已經運轉失調，沒多久偏偏為朋友做的保又受了連累（這種男人和男人之間的事，太太當然是不知道的）……他的臉色更難看，太太問不出個所以然，也與他相對無言，家中的氣氛變得很凝重。

大宏每天下班不想馬上回家，總會把車開到郊外透透氣。有次把車停在一處荒涼山頭，打開車窗抽菸，正陷入沈思時，忽然發現後頭有兩輛車跟梢

在公司受了氣，回家使每個家人變成受氣筒，這種人久而久之會在家中變成一座「孤島」。

而來，原來是老婆率眾捉姦：一輛載著他太太和一群徵信社的員工，一輛是警車。大家啼笑皆非，沒想到每天晚上睡在同一張床上的兩個人，想法的誤差值這麼大。

大宏在傳統的標準上，真是個「好漢」，但這樣的老觀念，放在現代家庭生態中，不但累了自己，還累了家人；家庭畢竟是一種生命共同體，沒有人的情緒能夠不被悶葫蘆所影響。

還是斟酌一下，把對方也有必要知道的心事拿出來討論吧！

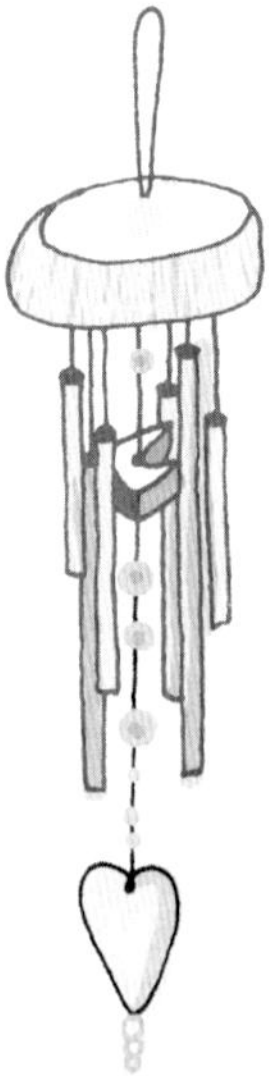

無解的婚姻練習題

河流能抵達目的地，因為它懂得如何避開障礙。——Noticiario Cremer

早知如此，何必當初的問題，大多已成了無可追悔的問題。

◆

他從未想過，自己竟然會有鬱卒到想找心理治療師談談的一天。

有了車子、房子後，三十歲的他決定結婚，娶了二十一歲的美貌妻子，原以為人生從此高枕無憂，只欠一個孩子；沒想到婚後一年，他發現了妻子的婚外情；他壓抑憤怒，很理性的找妻子溝通，年輕的妻子坦然承認愛上了別人，而且用塞滿淚水的眼神無辜的請問他：「難道結了婚就不能跟別人談感情嗎？」

無解題永遠是無解題，放自己一馬也放對方一馬吧。

他一向認為自己觀念先進、也尊重女權，可是，這個問題卻像炎夏裡忽然從天而降的冰雹，使他無言以對。

◆

她結婚兩年後，開始想逃離如同坐牢般的婚姻，卻因不想做個對孩子不負責任的母親而猶豫不決。二十九歲時，她說，不知道當初是為了什麼而結婚，也許是為了「女大不中留」的壓力，也許是受不了再次失戀的打擊吧，結了婚後才發現兩個人的不同是天壤之別，價值觀、個性、生活方式、興趣都不同，唯一能共同創造的只有孩子。「他不開心，我也不快樂，但我和他談過，他認為為了給孩子一個幸福的家庭，這個婚姻有存在的必要性。」

許多書、許多專家都告訴她，只要她努力，還是可以過著快快樂樂的日子。問題是，努力也得有動力，她一點也不想和一個越來越不想看到的男人「過著幸福快樂的日子」。

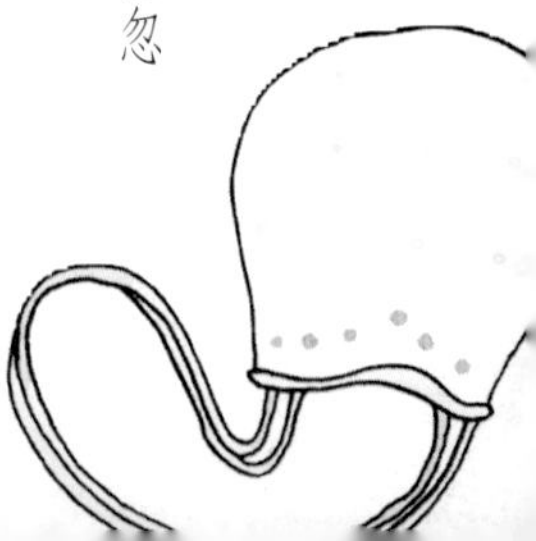

不如體察問題，掌握現在

我可不像某些婚姻專家那麼天真的樂觀著，認為婚姻中所有問題，都可以「理性」解決。我明白，如果一對佳偶已失去彼此間的好感，對兩個人的未來沒有期許的話，所謂的婚姻已經變成無解的問題。其中一方再努力，多半像個不斷學習佳肴美食來伺候一個失去味覺的人一樣，對方只能味同嚼蠟的張嘴吃著。

很多人在還不成熟、或根本還沒準備好時，就因為「某個理由」而結婚。某個理由包括對方祖父母的百日之忌（直系長輩去世內百日得結婚，不然就要等三年；這個傳統竟是很多不成熟的情人結婚的唯一理由），包括年齡的壓力、包括同班同學都在結婚、包括想脫離原生家庭、雖然吵吵鬧鬧但認識很久、想穿婚紗禮服成為眾人注目焦點、他很老實或很孝順應該是好丈夫、家中世代單傳、大家都認為我們是很好的一對……

如果一對佳偶已失去彼此間的好感，對兩個人的未來沒有期許的話，所謂的婚姻已經變成無解的問題。

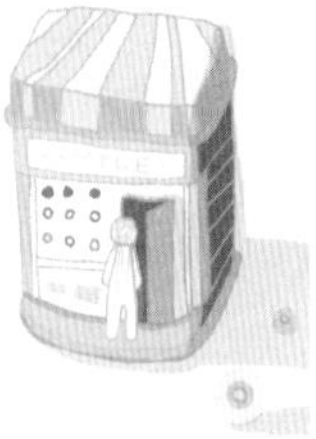

總有些人，只要穿衣吃飯，就不太重視愛不愛的問題；有些人很是敏感，如果沒有一點愛的感覺，金山銀山都讓他窒息；後者的真性情，使他們再想重然諾，也沒有辦法忍耐婚姻制度。

從前的人很認命，結髮就是一輩子，再壞也忍一輩子。現代人講求「活在當下」，知道自己只有一輩子，在不了解自己對愛情的需要時不小心結了婚，婚後慢慢了解了自己，就不能無聲無息的忍下去。

離婚，對孩子確實不公平，但是兩個不快樂的家長，對孩子來說，未必公平。

如果來不及在婚前了解自己，錯誤已經犯下了，不如在體察問題後，掌握現在，不要談當初，好好處理未來。若婚姻練習題已無解，若全然不渴望未來或無法共處，還是得收拾善後，用最不傷害彼此的方法離開。

無解題永遠是無解題，放自己一馬也放對方一馬吧！

不該你的不要拿

自制是最優雅的態度。

——愛默森

這不是小說極短篇，而是一個真實故事。

惠娟要結婚了。經過千挑百選的抉擇及千瘡百孔的戀愛之後，惠娟決定嫁給大舅媽介紹的乖乖牌、高考及格、有穩定收入的大中為妻。

「這孩子，我從小看他看到大，我可以幫妳打包票，嫁給他鐵定比嫁給妳以前那個男朋友好！」

惠娟為以前的男朋友文明，可是耗費了大把青春，也耗盡了淚水。文明是相當優秀的男子，只可惜花心了些，總是以「事業未成」為理由，把惠娟的暗示輕輕拋進「資源回收桶」裡頭。一心巴望做老闆娘的惠娟，和文明一

除非你的另一半肚量一流，否則還是記得：不該你的不要拿。

起辛苦創他的業，由兩人公司做到二十人的公司；文明沒給她半點承諾，倒是送給她無數桶醋吃。三十歲這年，惠娟終於喊停，她在遞出喜帖的同時，也遞出了辭呈。

文明一怔。知道挽回無益後，文明為了彌補虧欠，出手大方，送了一部價值五十萬的房車做賀禮！

好大的手筆！一時間，曾經大罵文明，努力為惠娟作嫁的親友也感佩起文明的氣魄來。車子送到門口，惠娟一邊緬懷舊情，一邊捨不得推卻，收了這車。

連她的新婚夫婿大中知道此事，都沒作聲。大中心裡也矛盾著：退回這麼大的禮，太可惜了吧，雖然是她前男友送的……一個男人會送一個女人這麼貴重的禮物，想必有些不可告人的祕密。

但大中還是忍了下來。他剛考上駕照，正需要這一部車。閃亮的香檳色使他情不自禁的瞇了眼睛……

婚後每一次吵嘴，不是在車上進行，就是會不小心掃到這部車：「對！我小氣，不像妳前任男友那麼大方，送一部車給妳！」

有一回，車開到高速公路上，兩人為了小事吵著吵著，大中把方向盤一打，停在路肩，氣得按了一長聲喇叭，逕自推開車門，留下不會開車的惠娟……

小心收下「厚禮」的後遺症

文明「應該」不是故意的，但他的新婚禮物卻送給前女友相當大的後遺症。

如果你的前女友或前男友送來的結婚禮物是一部車，你收還是不收？真是兩難。不收，很難過，收了，以後會更難過。

除非你的另一半肚量一流，否則，還是要記得：不該你的不要拿，尤其是兩人生活中必會共用的東西。前男友若有賠償的誠意，妳也捨不得他的好意，就請他送現金來吧！如要避免任何後遺症，切記保密。

真是兩難。不收，很難過，收了，以後會更難過。

該你的也未必能拿

儘管人生使你有一千個理由哭泣，你也要表現得你有一千零一個理由歡笑。
——B.C.R.

她的聲調有些悲傷，她說，她需要我給她法律上的幫忙。

我一聽，不免頭疼，雖然是法律系科班出身，但我是那種拿到文憑就決定不想再查閱六法全書、也不想進法院的逃兵，我很想對她說：「妳可以請律師啊！」

但我也明白，在一般女人的想法中，進律師事務所比看婦產科來得困窘。於是，我靜靜傾聽她的陳述。

「我十二年前離了婚。打從結婚時候起，家就是我在養的，他什麼都不管，有他跟沒他一樣。後來他有外遇，我們就在孩子六歲時離了婚。他簽的協議書中，包括要付孩子的教育費和給我八十萬元，現有的房子則是一人一半……」

每個「藕斷絲連」的婚姻，幾乎都是不快樂的，若牽扯到金錢糾紛，則必成一筆當事人今生今世最大的爛帳。

「這些約定，都沒白紙黑字。三年前他來討他那一半的房子產權，我覺得既然有約定嘛，就遵守諾言，把房子賣了，分給他一半；可是他欠我的錢，經過我三催四討，他只還了五十萬，還欠我三十萬，我該怎麼藉由法律途徑討回來？」

「妳現在很需要那三十萬嗎？」我問。

「沒……沒有啦！我只是覺得，他應該有點責任感，遵守他的諾言……」

我心想。妳老早就該了解，他是因為沒有責任感、沒有遵守諾言，妳才跟他離婚的。為什麼在分手之後，妳還要求同樣的東西？那不是緣木求魚嗎？

她不只不需要那三十萬元。如今她創業有成，那筆錢對她而言並不重要，她要討回的是所謂「公道」。

「我兒子也認為他應該還我這筆錢……」

為了一筆舊帳，親子共憤十二年，划得來嗎？

認虧才是佔便宜

出乎她意料之外，我硬著頭皮對她說，我不認為法律可以解決這個問題，能不能放開心胸，認虧就算了？

從長久來看，認虧才是佔便宜，一點也不鄉愿。

法律上，討債權的追訴權達十五年。她也許可以找到當年的證人做證追討。但為三十萬打完官司，有一半以上必會進了律師口袋。就算妳討到了，他沒錢還，難道妳不會心軟。

其實，這位苦惱的女子，並不想要這筆債。她要的是被虧欠的青春。被虧欠的青春，是無法索償的。你也未必責任全無，至少，眼光有錯。已被辜負，何必花更多心血來自我辜負？美其名為討回公道，其實對自己十分不公道。

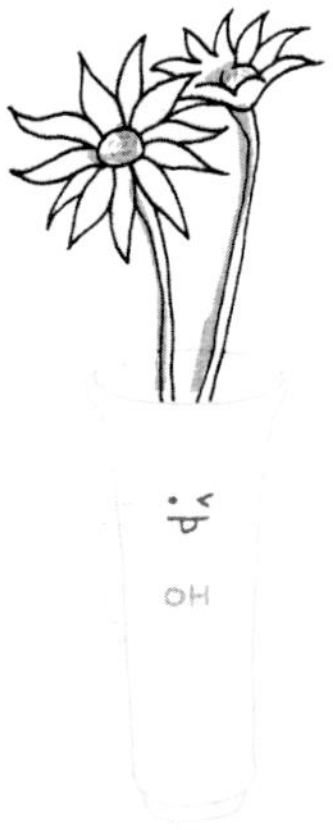

為了一筆舊帳，親子共憤十二年，划得來嗎？

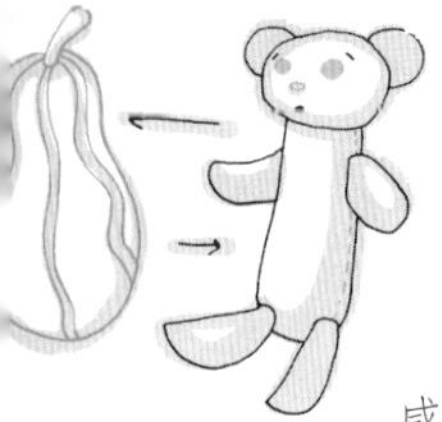

再親密，也有負面情緒

愛像小提琴，音樂可能偶爾停息，但琴弦卻始終存在。

——Robert Graves

打電話到朋友阿芬家，她還沒唸幼稚園的女兒接的電話，語氣很沮喪的告訴我：「媽媽搬到別的地方去了。」

我還以為我聽錯——一個不到四歲的小女孩，竟然口齒清晰的再說了一次。我馬上意會到，這對夫妻的婚姻又鬧出嚴重危機，阿芬再度離家出走了。

未諳世事的小女孩辛酸的投訴，真是令我有「人間之慘事莫過於斯」的感覺。

我找到了阿芬。阿芬在她的婚姻中有許多委屈，是我老早就知道的事情，青年才俊的丈夫平常溫文有禮，但一控制不了情緒，就像火山爆發，對母女倆大吼，阿芬也「忍很久了」，頂一兩句嘴，就會產生「掃地出門」的悲劇，是「眾所皆知」的婚姻插曲。

被阻撓的情緒發洩，會轉成壓抑

我沈默的傾聽她把心事說完。她說，丈夫又莫名其妙的對她大呼小叫，趕她出去，她只好出走，把小女孩留在家裡。小女孩十分機伶，偷偷記下親戚的電話號碼，平常只會咿咿呀呀的小孩，竟然在她出走期間主動打電話給外公外婆，也告訴每個打電話來的叔叔阿姨，讓不想使父母朋友憂心的她「事跡敗露」，所有的人都知道她的婚姻又出問題了，四處在找她。

談起小孩突然性的早熟，她的眼眶紅了：「我的女兒告訴我，她不喜歡爸爸。我對她說，不可以，不可以這樣。」

火山爆發，往往創造彼此難以收拾的恨意啊。

阿芬從小是個好學生，也是人人稱道有「幫夫運」的女人，雖然出走多日的她精神不濟，臉上仍有「母儀天下」的表情。

我忍不住對她說，妳可不可以不要立即阻止妳的女兒表達她自己的情緒。

「畢竟他是她的爸爸，我不能教她恨爸爸呀！」她說。

「是的，但是妳不要急著阻止表達情緒，妳應該問她為什麼？為什麼她不喜歡父親，否則，被阻撓的情緒發洩會轉成一種壓抑，她長大以後，會把壓抑當成理所當然。」

小女孩不喜歡父親，必然有原因，妳必須幫忙她分析為什麼，她會把不分青紅皂白的忍耐當成美德。如果她不敢表達意見，就沒有人知道她的想法，也不會有人為了她的幸福，有效的改善自己的溝通方式。

我看到，許多從小任性倔強的女孩，談了戀愛之後，忽然搖身一變，忍辱負重，受盡各種委屈，卻沒得到善待，或者，適得其反。

不只是在戀愛關係上具有「耐力」。有一回和張曼娟聊天，她說到發生在自己學生身上的荒謬例子：女學生在速食店洗手間遇到一個瘋女人，瘋女人說她是國安局派來的間諜，在洗手間把女學生毒打一頓，女學生竟然被打得毫不吭聲，不敢為自己發出不平之鳴！後遺症是，她再也不敢上公共洗手間，每天活得惴惴不安。

壓抑會自己尋找其他的管道浮現，產生更嚴重的後遺症。

技巧性的表達，才能消弭恨意

時代不一樣，她們又不能像我們的老祖母，「吃苦當吃補」，表面無恨，但心中不可能無怨。表裡不一，造成扭曲，對親密關係來說，也造成惡性循環。

從小被阻止表達任何負面情緒的女孩，會步上母親的路程。明明很有能力，卻完全無力改變自己在親密關係中的委屈。

壓抑會自己尋找其他的管道浮現，產生更嚴重的後遺症。

我想阿芬也是在「好女孩就不該表達負面情緒」的教育下長大的吧，她從來沒有告訴她的另一半她真正的需要和她希望他改善的地方，甚至從未對他說：「我實在很不喜歡你一生氣就大呼大叫，這樣讓我覺得我對你的一切付出都是白費心血。」以至於每一次衝突都是類似的衝突。

當然囉，這種意見的溝通，必須在兩個人都心平氣和的狀態下進行才有用。

後來，丈夫道歉，阿芬又回到「平常幸福的婚姻」之中。我問阿芬，妳告訴他妳不喜歡他大呼小叫嗎？妳有沒有告訴他，家是共有的，他沒權利一生氣就趕妳走？有沒有找出替代性的溝通方式？

她說，在「談判過程」中，還是沒有勇氣指正他所有的錯誤，只能對他說：「你很好，你沒錯，都是我的問題。」

她選擇了繼續逃避，祈禱她的丈夫「自行悔悟出其中的道理」。

「你錯了，但我必須找個方式原諒你。」是維持親密關係中不得不面對的課題，最好的解決方式，是技巧性的表達，而不是壓抑，然後等待雙方火山爆發。

火山爆發，往往創造彼此難以收拾的恨意啊！

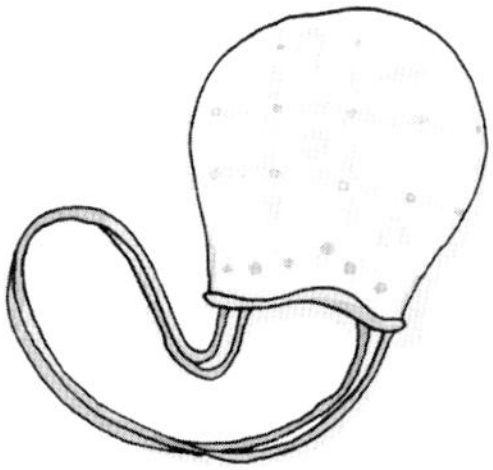

「你錯了，但我必須找個方式原諒你。」是維持親密關係中不得不面對的課題。

害怕擁抱的理由

一天四次擁抱只夠求生存，八次使人維持現狀，十二次得以成長。

——Jack Canfiekld

經過了冗長的談判之後，春蘭又抱著忐忑的心情回到婚姻之中，她約了幾位閨中密友喝咖啡聊是非；雖然說是破鏡重圓，應該高興才對，但她每喝一口拿鐵，就嘆了好幾口氣。

因為個性不合而爭吵，這已經不是第一次了，朋友們早已司空見慣。只是懷疑著，春蘭是個處處為人著想的女人，她的另一半也是個看來溫和體貼的男人，兩人學歷、相貌很相對，但不知道為什麼，每次吵架總把架吵成一定要勞師動眾才能收場的問題。

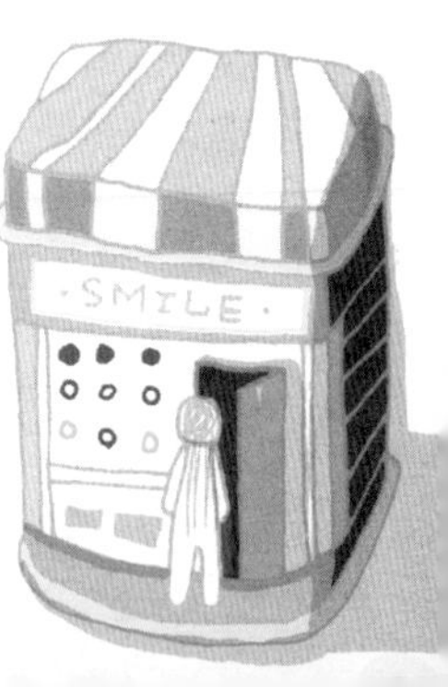

既然又決定和好，大家也就三緘其口不再問起。春蘭紅著眼眶感謝眾家姐妹在她無家可歸時的溫暖收留，末了，她要求每個人給她一個擁抱。

幾個朋友愣了一下。在這個除了男女談戀愛之外，不時與互相擁抱的環境裡，春蘭提出的要求並不過分，但難免有點突兀。曾經留學巴黎的阿妙先張開了雙臂擁抱春蘭，其他的朋友也照做了；一直沒有交過男朋友的芳敏還說：「哈，在我記憶中，這可是我的第一次哦！」

春蘭終於笑了：「謝謝你們給我的溫暖。」

大家也都感受到了春蘭傳送的溫度。說再見時，阿妙忽然說了話：「妳有沒有試著給妳的先生一個擁抱呢？在吵架陷入僵局的時候，說不定，擁抱可以化解你們的『個性不合』呢？」

「唉……」春蘭竟又嘆了口氣。「我不敢……」

「不敢？」大家腦袋裡的疑惑是一致的，結婚五年，孩子都生了，不敢？為什麼不敢？

「因為，如果我給他一個擁抱，他會馬上以為，一切都沒事了，而我已經願意和他有親密關係，那會把我的情緒弄得更糟……我若拒絕，他會有更大的挫折感……」

原來，只是一個擁抱，這一對夫妻的詮釋是如此的不同。

很顯然的，除了夫妻的親密行為之外，他們並無任何不具挑逗作用、只是表達關心的「灰色地帶」肢體接觸，在兩人情緒都不對的時候，女方害怕以肢體的輕微安撫來放鬆雙方情緒，男人也把自己弄得劍拔弩張，更不可能輕攏太太的肩說：沒事沒事。如果他靠過去，太太必然會閃躲，因為在她的認知裡，每一次，他用肢體碰觸她，都是為了同一個目的。

肢體接觸是一種有效的溝通

這樣的例子在我們的社會十分常見。自從會走路之後，很多人已經無法記憶父母的擁抱。到了青春期，連父與女、母與子的距離都保持在「訓話」

的距離；長大了，一牽手就表示我們是男女朋友，一接吻就是定終身；我們的社會缺乏一種「善意的肢體問候」，不會對好久不見的朋友擁抱，除了情人也沒有人在月台上親臉頰吻別，難怪，擁抱動不動就被想歪，變成「性騷擾」。

我也觀察到了，有些人的身體對同性或異性都有很強的防護網，他們多半是從小就疏於被父母擁抱的人。長大之後，肢體僵硬，看到任何親密畫面都會大驚小怪的說：「好噁心！」只要不小心碰到他一下，他就會以「你是色情狂」的眼神回瞪。他常搞不清楚，為什麼自己覺得自己不錯，卻沒有所謂「桃花運」？

肢體接觸是一種有效的溝通。語言很容易被搞成辯論大賽，但一個善意的點頭或拍肩動作，卻可以準確的傳達支持度。對夫妻而言，沒有將肢體動作的意涵定義弄清楚，一個小動作就會帶來猜測和緊張，誤會裂縫只會越來越大。

我們都是只有單邊翅膀的天使，只有互相擁抱才能飛翔——西方社會習以擁抱表達善意問候，是有道理的；想要好好溝通，我們不能再害怕擁抱。

在她的認知裡，每一次，他用肢體碰觸她，都是為了同一個目的。

Part4
有計畫，發現新潛力

理想可以分段實現。

一步一步往前走的人，一回頭往往也會驚訝，自己什麼時候已經走過萬水千山，當初最難爬的第一個山尖，在眼中，竟然只是一個小小的土丘？

快掘你的井吧！

我們各自擁有一筆時間任憑支配，你可以善用也可以濫用，總之每天都一去不回。

——Roger Wilcox

坐在一桌某大企業基層員工的隔壁吃泰國菜的我，一邊吃飯一邊傾聽這一群女生的談話，我把帽子壓得低低的，好像是個徵信社派來的探員，生怕她們知道有人在偷聽。

「我們大老闆心臟病發作，自己開的醫院竟然不敢看，還送到美國去開刀……不過也撐不久了，聽說我們這家公司將是由他的小兒子繼承的，他很早就有關掉賠錢部門的打算……」

「我也聽說了，公司內部有人在擬資遣辦法！」

這群女生，大概是二十五歲到三十歲的年紀吧！

「唉，這真是個歹年冬，本來還在嫌薪水少，現在連薪水也沒有了！」

「有資遣費不是嗎？不知道可以拿到幾個月？要叫我們走路，也得有時間讓我們找工作吧！」

「找工作，不知道該做什麼？我今天打開報紙求職欄，要的都是大學生，至少也要大專畢業，我們……好像會被淘汰……現在要找個人結婚也很難！」

女孩子一在工作上不如意，馬上會想到「長期飯票」問題。如果我不識相的告訴她們，根據我做的調查，願意當長期飯票的男子已不到百分之五，她們可能會更沮喪。

值得注意的是：願意當長期飯票的百分之五的男人所期待的「被供養者」，是和他們母親一樣任勞任怨、一年三百六十五天都為家人服務的女人；很顯然的，大部分期待「錢多事少離家近」、埋怨工作艱難的女人在家也都沒有「阿信」精神。

如果用「蕭規曹隨」的態度敷衍工作，成就感只會越來越少。

抱怨找不到人嫁的女子，對她對座的同事說：「妳最好啦，有老公養。」

「唉，但是我的薪水是用來還新房子貸款的，現在要養兩個孩子，還要付貸款，妳不會體會有多累……如果給我選擇，我絕對不要這麼早結婚！」

「妳老公不是都會跟妳家事分工嗎？」

「對啊！現在跟妳們吃飯，回家還有一大堆碗等我洗呢！」

大概是今天公司有了風吹草動，面臨裁撤傳言的分公司員工，出來聚餐，共商大計。後來，大計沒有商議成，大家又開始在講老闆家族的八卦……

自己找到的泉水最甘甜

不知何去何從，不只是這一群面臨失業的女性的問題，所有的年輕上班族都有同樣的顧慮，雖然找到一份工作，卻不確定自己是否喜歡這份工作；如果離開，也不知自己的一技之長在哪裡——不斷陷入「食之無味，棄之可惜」的乏味生活中。

很多人想在工作中得到成就感，卻以為成就感會像天外飛來的靈感一樣，從沒想過「自己」才是創造工作成就感的關鍵人物。老闆不會給你成就感，工作也不會自動送你成就感，如果永遠用「蕭規曹隨」的態度敷衍工作，成就感只會越來越少。

網路上有人聽多了上班族的抱怨，寫了一則小寓言：兩個和尚分別住在兩座山，每天都要到同一口井打水喝，持續了幾年後，甲山的和尚發現乙山的和尚個把個月都沒來打水，於是便到另一個山頭探訪他，發現乙山和尚並沒死在自己的山頭，反而是悠哉悠哉的在練太極拳。原來乙山和尚在每天打水後，會花幾個小時在自己的小廟後頭挖井，五年後，井水湧出來了，他再也不必下山打水了。

很多當了上班族之後能夠轉業或創業成功的人，不都是打完水後在自家山頭繼續挖井的人嗎？當然啦，有人在當學生時就已經成功的挖出自己的井來了，而且還甘美無比。如果你家沒有「天然湧泉」（別嫉妒，不用挖井就有

所有的年輕上班族都有同樣的顧慮，雖然找到一份工作，卻不確定自己是否喜歡這份工作。

成就的人很少啦），你就得想辦法囉，自己找到的泉水最甘甜。

你的井在哪裡呢？下班後把時間花在喝咖啡聊是非、和情人家人為雞毛小事爭執、賴在沙發上看電視看到進入夢鄉的人：那口井不會在你面前湧現的！

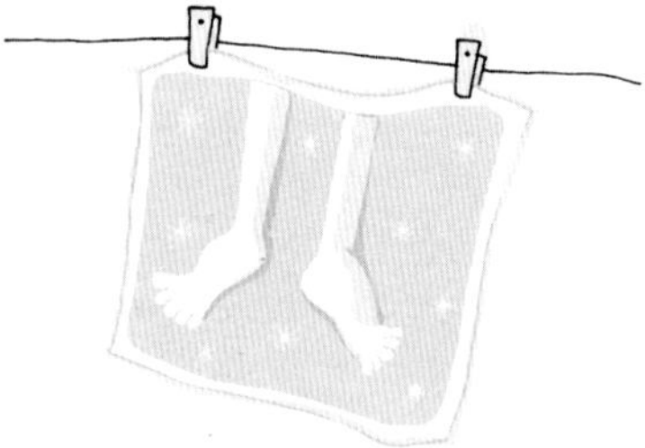

有生命力的人最可愛
——你要的不只是愛而已

改變現狀還需要冒險的勇氣，不只是一點點樂觀而已。——Robert Crais

「新的一年又到了，」在網站上收到一位少婦溫和的抱怨，「可是我卻不知道，自己的新年有什麼新希望？曾經，我的座右銘是知足常樂，但我看到的自己，卻是如此的不滿現狀。老公很疼我，但我就是覺得自己缺少了什麼；我對寶貝女兒的要求，也無法控制的越來越嚴格了起來，更是越來越沒耐心，只能在亂發脾氣後自責……為什麼我對生活的感覺變得這麼壞？」

看完她的e-mail，我愣了好一會兒，彷佛聽到我好些朋友的嘆氣。和別人比起來，她們是幸福的女人：老公老實會賺錢，孩子聰明又出色，公婆也相當體貼，受過高等教育的她們，把自己要的幸福經營得很出色，但在孩子逐漸成長的過程中，她們發現自己不由自主的變成一個幸福而不快樂的母親，控制不了自己的脾氣，好像缺少了什麼。問自己為什麼不快樂？又找不出具體理由來。

到底缺少了什麼？

缺少的，是別人給不起的東西，是所謂的「自我實現」的問題。妳的自我潛力尚待開發，就好像是地底下的岩漿，滾滾燙燙，正在尋找出口湧出來，難怪妳如此的焦躁不安。

給自己多一點期許，讓生活多一點成長

我們這一代的人，都聽過一句老一輩的格言——「愛情是女人的全部，是男人的一部分」；許多女人，不管受了多麼好的教育，有多麼大的能力，常常選擇的是成全幸福，而不是成全自己。事實上，時代完全不一樣了，妳受

的教育，妳要的成長，妳想過的生活，已經不能再用「愛情是女人的全部」來侷限。

幸福和實現自己，並非二選一的問題，也許兼顧並沒法各得一百分，但我們好歹可以不要使他們坐的蹺蹺板懸殊過度，否則，妳終會陷入「別人認為我應該快樂，但我是如此的不開心」的問題；妳會把自己未完成的願望不自覺的放在孩子身上，他們動輒得咎，不知道自己為什麼不討妳歡喜。

因為陷入枯燥的生活，使得身旁那個表現還不錯的枕邊人被妳處處挑剔。有的人會忽視自己的問題，以為那是另一半不好的問題。

對X世代的女人來說，只能愛，並不能提供所有的人生慰藉。

好歹給自己多一點期許，讓生活多一點成長。這雖然是人人耳熟能詳的句子，做到的人有多少呢？

所謂自我實現，未必要立下多大的目標，只要有些成長，你會感受生命的喜悅。

好歹給自己多一點期許，讓生活多一點成長。

我不管工作再忙，每一段時間，我就會安排自己上新的課程，現在，我在上日文課，也在上陶藝班，「同學」們問我，為什麼要來學這個？我總是答不出來，其實我喜歡的是，去嘗試一些「可能性」，讓生活過得充實，看著每個同學專注學習的眼神，總會讓我想到，有生命力的人最可愛！

尋找生命出口，可以安撫你的焦躁，儘管，那個出口未必是永遠的出口。

光只有愛不能使人一生高枕無憂，你一定還需要別的東西。別光說不練啊。

沒人要無業遊民當女婿

——失敗的人總有失敗的理由

要是蒲公英這種野花很難種的話，它就會變成草坪上最受歡迎的花朵。

——Andrew V. Mason

我在網站上接到一封主題為「人間無情」的信，發信者是一位署名為「無業遊民」的男子。他抱怨：「女友的父母堅決反對我們的交往，因為我沒有工作，女友的父母就認為我和他們的女兒不配……世態炎涼，找到薪水滿意的工作不是那麼容易。總之，這個世界的人真是勢利眼啊！

P.S.她住在新竹，我住在中壢，相隔遙遠。我是不是不應該再努力下去了？」

不受歡迎有不受歡迎的理由，世界不會無緣無故和你作對。

這封信使我啼笑皆非。我想他是個從不知反省自己的人，他需要的不是安慰，而是當頭棒喝。我回信給他：「如果你有個女兒，你願意她和一個總要找藉口當無業遊民的人交往嗎？這不是人間無情，這是人間有情，因為關心。」

置身處地，換個角度想想，就可以體會他女友父母的痛苦了。

光從他簡短的信看來，這個無業遊民問題尚不止如此，他實在是夠懶了，不過是半個小時的車程，他就說是「相隔遙遠」，我想他活著的目的，該不會只是躺在沙發上看電視，吃飯也只想走到巷口的麵攤吃陽春麵吧？

沒有人是「沒有理由」一敗塗地的

有一句大家都琅琅上口的俗話說：「可恨之人必有可憐之處，可憐之人必有可恨之處。」說得雖然有點不留情，但也有部分真理：失敗的人總有失敗的理由，就看他要不要改掉他的問題。

日本很受歡迎的節目叫做「拯救貧窮大作戰」，專門請各界專家來「救」那些開店不賺錢的可憐商家。專家總會發現，失敗的人總有失敗的理由，不是待客不周——客人進門就不知不覺的用自己的倨傲態度把他趕走，就是專業程度不夠——開燒肉店，竟然從沒研究過燒肉料理；當了二十五年的廚師，不知道大骨湯的正確熬法，要不然就是有吊兒郎當的壞習慣：一邊炒菜一邊抽菸，不怕菸蒂掉進菜裡……總之，沒有人是「沒有理由」就一敗塗地的。

失敗的人，總有失敗的理由。

不受歡迎，也有不受歡迎的理由，世界不會無緣無故和你作對。

有個朋友說什麼話都言之有物，卻習慣把「你錯了」當口頭禪，只要他一開口，我們就會聽到「你錯了」，結果沒有人自討沒趣願意和他吃飯；有一回他抱怨大家都「太忙」「重色輕友」，家裡的孩子也沒人把他當回事時，他那任勞任怨的老婆終於忍不住硬著頭皮告訴他，「你錯了」在他們的婚姻中

如果你有個女兒，你願意她和一個總要找藉口當無業遊民的人交往嗎？

是一把破壞力多大的刀。

他才恍然大悟，買了一本人際溝通的書回來研究，把「你錯了」的口頭禪，改成「你說的有道理，不過……」再闡述他的意見；不但沒有失去原則，人緣反而還變得好得不得了。

找出失敗的理由，才不會繼續失敗。怨天怨地怨自己，都是白費時間。因為「人生不如意事十之八九」而沮喪，感到自己活得一敗塗地，必然可以在自己身上找到需要改進的問題。爹不疼、娘不愛、老闆不要、好男好女不理睬……常有某種「狗改不了吃屎」的原因，卻從沒檢討過自己。

要無業遊民當女婿，誰放心？

誰愛唱歌給狗聽

——成功的人總有成功的理由

把貧窮單單看做以統計數字來衡量的經濟狀況，是誤解；貧窮是一種精神狀態，是眼界開闊與否的問題。

——Patrick J. Buchana

由於和我有工作上合作關係的名人很多，碰到陌生人或很多年不見的朋友，沒話可聊時，一定會有人問我：「那個誰誰是什麼樣的人啊？」一般人在問這種話的時候，多半抱著想要看看那位名人是否是「虛有其表」「沒像大家想像得那麼好」的心態，為了不要犯上「在別人背後當小人」的罪名，我總會特別小心。人嘛，誰沒有缺點？我總是會說出那位名人的優點，先消滅對方「扒糞」的意圖，請問話的人說說那位名人成功的理由。

成功的人必有一種自信，那種自信是靠行動力養成的。

有些人在完全不了解一個人時，就喜歡為這個人下一些否定式判斷，大概是出自一種嫉妒心吧，總覺得對方沒那麼好，根本不值得那麼成功。於是把自己這輩子的不成功，出點氣在對方身上，嘴裡會尖尖酸酸的說：「啊，他就是會交際啦！」把人家說成只會逢迎巴結的交際花；要不然嘛，就是把別人的成功賴給「萬惡不赦」的商業社會：「那都是靠包裝的啦！」心理暗想著，我就是沒有遇到伯樂，才沒有平步青雲的機會啊！

固然，我有我欣賞的成功人士，也有我不欣賞的成功人士，但老實說，媒體開放之後，在大眾媒體上能混超過三年的每一個成功人士，都有成功的理由，沒有人是靠刮樂透獎券「運氣運氣」得獎的。也沒有人毫無實力，憑著「會做關係」就有人理；就算他真的「會做關係」，那也是一種專長，不是打從娘胎就能討人歡喜。

成功絕不是靠運氣

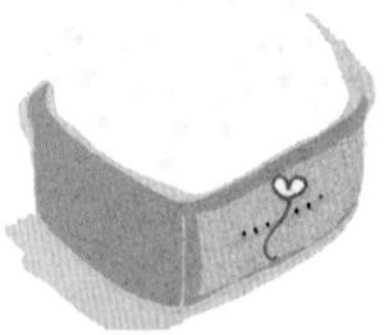

我看到的所有成功人士，不管是哪一行哪一業，只要能自己打出天下來，都具有下列的特點，那就是：很早就思考過自己的未來，而且真心喜歡他目前的工作，願意花力氣、腦筋和行動力，讓每一天都成為自己的傑作。

沒有任何成功的人沒吃過排頭或苦頭。幾年前我曾在某座談會遇到一位藝人，他在座談會開始前的一分鐘才趕到，頭髮是溼的，原來他剛在鄉下唱完露天的「工地秀」。我問他：「下雨天會有人冒著雨聽歌嗎？」他說：「是啊，根本只有兩三個人嘛，還有麥克風觸電的危險，但我還是唱啊，那個吳××更慘，他是唱第一個的，還只有兩隻野狗聽他唱歌呢，他還不是照唱！」他自我調侃道。

幾年後，他口中的×××和他自己都變成當紅的一線主持人。

誰愛唱歌給狗聽？我想，一個人在只有兩隻野狗聽他唱歌時，還能面不改色的完成工作，那麼，還有什麼慘狀可以打擊他呢？

也有聲稱「熱愛寫作」的新人對我說，他不喜歡某暢銷作家的作品，覺

一個人在只有兩隻野狗聽他唱歌時，還能面不改色的完成工作，那麼，還有什麼慘狀可以打擊他呢？

得他成名的企圖心太強，問我意見如何？他大概想要證實是否「文人相輕」吧！很抱歉，我的回答讓他失望了。我對這位有志成為同行的新人說：「你有沒有發現，他的作品實在有進步？光從他每天早上五點起來『聞雞寫稿』，我就不認為他是浪得虛名。」

成功的人必有一種自信。那種自信是靠行動力養成的，不是父母生的，也不是天上掉下來的。

人人或許都有些「死也改不了」的問題，但成功的人必有成功的理由，如果你沒有看到正面的理由，只想要聽八卦聊是非，看看那個人有沒有缺點，拿別人的缺點來寬慰自己，那麼，我們不會從別人的成功中學到任何智慧。

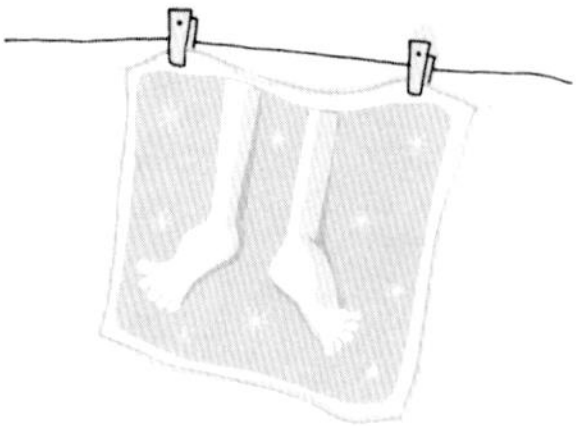

承諾要及時實現

親身去體會，總比別人代勞來得有趣，正如浪漫戀愛總比媒妁之言來得精采。

——Terrence Rafferty

原本也是個感人的故事，但它的弦外之音存在著人性的悲哀。

一位高學歷的老公娶了崇拜他的老婆，十八年之間，他為著他的理想而奮鬥，而她為他生兒育女而奮鬥。他原本自負到近乎自大，幾乎忘了老婆也是個有知覺的人，經過了一場差點要了他的命的大病，才發現老婆對他的耐心與愛實在難以償還，於是他決定要好好補償老婆一下。

「我發現，結婚十八年來，我從來沒有帶她出過大台北地區，所以我決定在結婚二十八週年時，完成她的志願帶她到日本玩！」

人類不會因夢想而偉大，只會因實行夢想而容光煥發。

十八年沒出過大台北地區？這未免也太離譜了。這證明了什麼呢？證明了老婆除了盡自己的傳統職責之外，不能也不肯享受自己的生活樂趣；也證明了老公從來沒有把老婆的快樂考慮進去。在他眼裡，她彷彿放在家中陰暗角落裡的陳年家具。

對未來畫大餅，不如馬上及時行動

這個承諾未曾在老婆蒼白的臉上牽動任何情緒，顯然老公的承諾常是夢幻泡影。我聽了也不覺得樂觀。他們的經濟並不成問題，到日本去玩顯然也不會超過一個星期，這麼一個小小的計畫要兩年後才「可能」實行，代表著這個男人很可能會在不久之後就忘了這個許諾。

我建議他不要畫大餅了，如果近期內不能出國，為什麼不明天就帶老婆出大台北地區走走？去洗洗溫泉、賞賞花、帶孩子去遊樂場也很好啊，不如按部就班的實行計畫？

一個不難實行的遙遠計畫，意味著你並不想實行它。明日復明日，明日何其多，人們總喜歡談論著「我未來要……」，而從未付諸行動，似乎以為自己有長生不死的能耐，有無限的未來。

◆

類似的例子很多，一位很熟的朋友興致勃勃的告訴我，他打算到西班牙自助旅行，但要先學好西班牙文才去。看來這個計畫真是太有水準了，我苦笑的「詛咒」道：「我看，你三年內一定去不成。」他的目的沒那麼難，而他所取道的路徑，則是千重山萬重山。這就好像明明可以馬上搭飛機到印度，偏要學唐三藏的方式跋涉到天竺。

不過，這也不是最窒礙難行的，我們可以隨處聽到二、三十歲的人說：「等我退休之後，我一定要……」一定要的後頭接著的動詞，可能是買一塊田，可能是學畫圖，可能是學陶藝，可能是練書法，可能是短短的旅行，可能是環遊世界……據我統計，有百分之八十是他現在省掉晚上轉遙控器的時

我建議他不要畫大餅了，如果近期內不能出國，為什麼不明天就帶老婆出大台北地區走走？

間，就可以做的事情。

為什麼要推延？多半因為惰性，或者目標太遠大，所以感到實行起來太難。有一位哲學家曾經說：「如果你把達到你目標的距離切成一小塊一小塊，分而食之，沒有任何目標太難達成。」

這句話的確幫了我很大的忙。在升上法律系四年級，卻想考中文研究所的時候，我深知，我只有一年時間，必須唸完中文系的四年課程，雖然我有點基礎，也很有興趣，但古典典籍從四書五經到諸子，從文字學、聲韻學、訓詁學到文學史，如此的浩瀚，何況我還有繁重的本科課業，想要「光榮」的從法律系畢業，我該怎麼辦？我根本沒有時間製作計畫表，也沒時間煩惱讀不完的問題。每天早上，我採取各個擊破的方式，詩三百，每天唸三首；史記列傳，每天讀一篇……。要不了一年，唸完了中文系四年的課程，我報考了台大、師大和東海的研究所，運氣不壞，全部考上了。

運氣更好的是，我還在大四拿到了法律系的書卷獎。

我照樣參加郊遊和舞會，也沒少玩到。

結果也許不能如意，但在過程中，我卻享受到了腳踏實地的樂趣。

想減少後悔嗎？現在就開始

人類不會因夢想而偉大，只會因實行夢想而容光煥發。

當我發現自己的惰性開始壯大，把自己當成驢子，在鼻子前面懸掛紅蘿蔔時，總有一個清脆的聲音撞擊著我的腦袋：「你真的想做到嗎？為什麼不今天就開始？」

今天就開始，是減少後悔最好的方式。至於能否達成目標，靠的是耐心和一點運氣。

舉世公認為天才的達文西，有一句名言十分有趣：

認眞度過一日，使人睡得安穩；

努力付出一生，使人死得安詳。

運氣更好的是，我還在大四拿到了法律系的書卷獎。

也許是因為想做的事太多，才華太過洋溢，這一位涉足軍事、建築、繪畫……等多方面的天才，留下許多未完成的作品，雖是文化瑰寶，卻使後人有些許遺憾。但他自己天天充實過日子，應該並沒有什麼遺憾，也沒時間遺憾。

◆

理想可以分段實現。

一步一步往前走的人，一回頭往往也會驚訝，自己什麼時候已經走過萬水千山，當初最難爬的第一個山尖，在眼中，竟然只是一個小小的土丘？

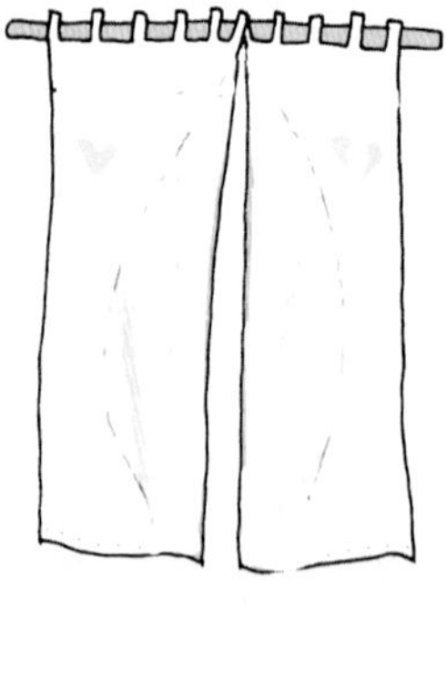

如果你不屬於大多數

想拉攏別人支持你，首先要讓他相信你是他的摯友。
——林肯總統

從小，你是不是常常被長輩罵：「甲人攏未親像哩」（台語，意謂跟別人都不像，沒看過你這樣難搞的啦）？或者，在逐漸長大的過程中，你發現，自己和「大多數人」不太一樣；基於人類追求認同感的天性，你一定會覺得自己不被了解、非常孤獨。

其實，至少有一半的人，從小就有「我跟別人不太一樣，我的個性跟父母期許的大不相同」的感覺。我們的社會，在觀念和意識上卻都是個「多數決」的社會，跟多數人一樣，往好處想，你會活得比較不費力，往壞處想，你會很平凡，有時會平凡到很平庸；跟多數人不一樣，或違反所謂「正常」

的期許，你會被排擠，會承受壓力，會被譏為走極端，甚至會被強迫改正。

多了一根指頭會被視為畸形，左撇子會被改成右手，剛強的女孩會被要求柔弱一點，文弱的男生會被笑成娘娘腔。長大後，你若逾齡未婚，也會因為跟大多數人不一樣，被家長施加壓力，或者有人在背後說你一定哪兒有問題；離婚率雖然一年比一年高，離婚的人再談戀愛也還是會受到很大的阻力。

跟大多數人不一樣一定有壓力，但不代表你就一定會背叛自己，變成跟大多數人一樣；如果你已意識到自己與眾不同，強迫將自己變成和大家「清一色」，或隱瞞自己的真性情、遮蔽事實，我相信，「強迫中獎」的感覺會比承受「做我自己」的壓力更痛苦。

勇敢承認自己的性向，活得更自在

最近我在網站上收到一封十八歲少年痛苦的來信。他說：

我一直爲感情問題所苦，因爲我是同性戀，遇到自己喜歡的人，卻不能表白。有時很想找朋友聊聊自己的性向，可是有著中國五千年來的倫理道德壓抑著。我覺得這個世界很無聊，死了算了！如果連妳也歧視我們，我覺得這世界就太不公平了！

這封信讓我覺得又好氣好笑。我什麼話都還沒講，他就預設自己會受到歧視。還有，什麼叫做被五千年的倫理道德壓著呢？老祖宗可沒立法規定男人一定要愛女人，女人一定要愛男人哪？我回信給他，對他說：

要別人重視你，你不能先歧視自己。我有很多同性戀朋友，我看他們都活得很不錯，越坦然承認自己性向的人，活得越自在。如果你在這世上屬於少數民族，就要先學會，做個勇敢的人，不要那麼渴求「大多數」的完全認同。

先要明白，你是少數民族，但不是不正常。我的一位gay朋友說得好：「你們沒有資格來贊不贊成同性戀，因為我天生就是同性戀。」是的，這就像我們不喜歡白種人沒有理由的歧視有色人種一樣，我們天生就是這樣的膚色，不需要你來肯定或否定。

我們天生就是這樣的膚色，不需要你來肯定或否定。

有一位明明不會愛上女人的朋友，最近竟然對我說，他奉父母之命，隨便相親找個女人勉強傳宗接代去「交差」；我劈頭將他罵了一番，問他：「你有沒有想過，這樣一來，對那個被你『借腹生子』的女人公不公平？為什麼那個女人要為你傳宗接代？這樣的欺騙是最大的罪惡之一，你太沒原則也太沒人性了！」

大多數人的偏見確實是存在的，但只要自己站得穩，就不怕東西南北風。但站得穩，這是要靠自己對自己的認知與在生命過程中的努力。

你生來如此，必然在冥冥之中有些道理；你不需做大多數人，但還是要做個真誠的人，不管在愛情上你愛男人或女人，在人性上你一定要能愛人！

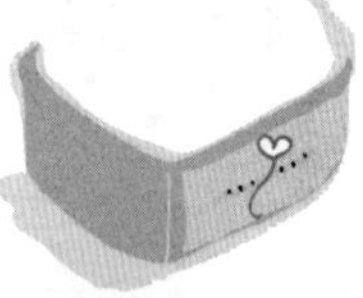

請做個快樂的母親

首先，讓自己放慢腳步，好好品嚐自己所做的事情。如果你一直當個旁觀者，你會覺得自己並不重要。

——George Weinberg

常到我姑姑家聊天的張媽媽，恐怕是天底下最不快樂的母親了，只要她一打開話匣子，整個客廳就被排山倒海的怨言悱語所淹沒，沒別的，她又開始抱怨她那三個傑出優秀的兒子，和人人都說是聰慧美麗的兒媳婦。

「我是怕他們太累，所以到樓上幫他們打掃，可是我大媳婦就不高興了，她在背後把我的幫忙說成定期安全檢查，我兒子也要我少管閒事！」

「他們講話真的這麼不客氣？」剛聽張媽媽故事的人，對這「不孝有三（個兒子）」的故事都會深表同情，或感到懷疑。「我大兒子是叫我不要太辛

明智的母親必懂得，關心必不能成為負面負擔。

苦啦，可是我知道他的意思，有了媳婦就不要娘了；我本來跟小兒子最好的，小兒子結婚後也不行了，我跟他說我的委屈，他竟然也對我這個做娘的說，要尊重別人的隱私權。我真是傷心！唉！」

「我二兒子二媳婦在美國，有一年暑假我和老伴去看他們，住十天我就想走了，每天給我們吃牛排，不然就是帶我們到中國餐館。我說這樣不行，不健康又浪費錢，我想把我張家祖傳的烹飪手藝都教給媳婦，媳婦學了一天就故意躲著我！現在的女人怎麼了？想當初我們可不敢這樣對婆婆！我對兒子說了媳婦兩句，兒子竟然頂嘴，說媳婦在什麼電腦公司當副總裁，每天事情處理不完，別折騰她了。不到半個月我辛酸的回到台灣，打電話給小兒子，小兒子說，叫我不要再講他哥哥嫂嫂壞話了，否則他見到我都會怕……嗚……」

這些小事，彷彿都是張媽媽的天大災難，怎麼說也說不厭。但聽的人卻怕了，剛開始還會同情張媽媽，怎麼這些唸了碩士博士的兒子都如此忘本，聽多了只覺張媽媽好好的富貴閒人不做，幹嘛庸人自擾呢？

痛苦來自於控制慾無法再滿足

這樣的母親，通常是犧牲奉獻到沒辦法獨立享受一點人生樂趣的母親，她們很辛苦，卻也很吃虧。她們所有的快樂，全部建築在兒女及親人的肯定上，在下一代忙於成家立業時，自然無法得到全神的關注。她們往往沒法理解，為什麼自己處處替兒女想，兒女卻越長大越怕她。她們的痛苦，不是來自於「好竹出歹筍」或兒女的惡行，而是來自於控制慾不再得到滿足。

就像心理諮詢博士李察·卡爾森所說的，她們是「高維修度」的人，和她們在一起，若沒使盡全力照料服侍，沒有努力的察言觀色，很難滿足她的情感需求。

最近，一位年輕的母親也向我投訴她的困擾：雖然唸小六的兒子向來是模範生，她為了關心，特地到學校拜訪老師，和老師談到兒子班上的種種問題，她以為她很關心小孩，沒想到兒子知道後怪她不給面子，不尊重他的自尊，決定不再和她分享任何祕密。她對孩子咆哮，要他體會她的用心，孩子卻越發疏離。

天底下有許多傑出優秀、任勞任怨的母親，身為子女對母親的辛苦或多或少都能了解，但有時卻不能吸收有代溝的關愛。我也看過許多母親，未必為兒女做牛做馬，卻得到相當的敬重，子女願意把跟她們分享心情、一起出遊當成最快樂的事情。關鍵點在哪裡呢？被我們的「倫理與道德」忽略的，是母親本身是否快樂，是否除了兒女之外，對人生仍興致盎然。

有一次在廣播中開放叩應，談到令子女覺得「與有榮焉」的母親，有一種母親被讚美的次數和能做一手好菜的母親足以分庭抗禮，那就是「活到老學到老」、一直在成長的母親。那些兒女講起自得其樂出國遊、五十歲才開始唸英文的母親，語調分外的興高采烈。

愛是妳能施，他願受。

明智的母親必懂得，關心必不能成為負面負擔，而生活中除了兒女之外，還有值得活下去的快樂泉源，如此，愛才是源頭活水，才能與天光雲影共徘徊。

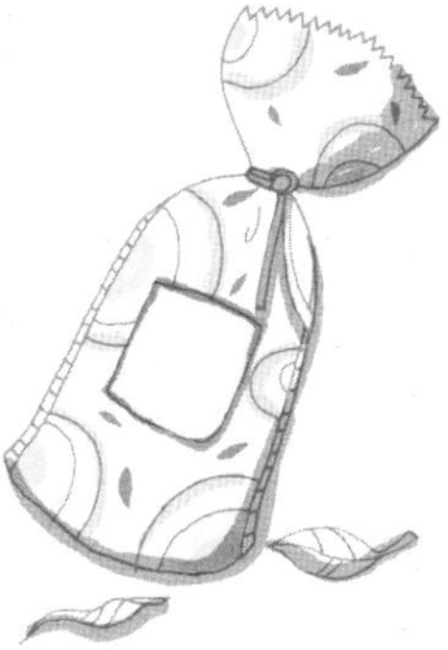

有一種母親被讚美的次數和能做一手好菜的母親足以分庭抗禮，那就是「活到老學到老」、一直在成長的母親。

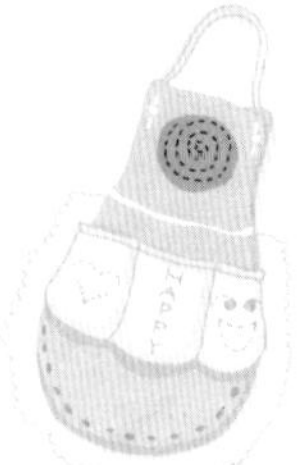

算命算掉愛情運

成功只屬於勇於行動的人，那些一直擔心後果的膽小鬼是不會有份的。

——尼赫魯（前印度總理）

一個人對未來沒信心的時候，就會想找人指點迷津；理性實在不能判斷時，便企圖以「求神問卜」的方式解決。

女人尤其愛算命。

為愛算過命的女人，多得數不清；找這個算命師算了，又有點猶豫，想找另一個算命師肯定……現代人因為愛情猶豫不決的心態，使各式各樣的算命師生意興隆。

找人算命未必就是迷信，許多人都曾找人為愛情把把脈，有時出發點只是「閒著沒事，算算看也好」，但真能不被算命師鐵口直斷影響，並不容易。每個人去算命，都存在「花錢聽些好話」的心理，但若遇到一位「烏鴉嘴」的算命師，本來沒事的兩人之間，很可能就會掀起一場風波。我就聽過有一位已與男友論及婚嫁的女子，沒事去算命，算命師竟然下了詛咒：「你們真的要結婚？結婚一定會離婚！」

女方算完命後深感不安，但也覺得因為一句陌生人的詛咒就分手太離譜，最後做了一個「折衷」的決定：把結婚改成「同居」來避災禍。兩人相處得蠻好的，但一提起「結婚」卻不寒而慄。

也許那位算命仙當日心情不佳，或看女方不順眼，但他的鐵嘴可真具影響力。

鐵口直斷容易，處理感情糾葛難

在我看來，算命師閱人無數，都很會察言觀色；已婚婦女去算命那天，

有時出發點只是「閒著沒事，算算看也好」，但真能不被算命師鐵口直斷影響，並不容易。

如果氣色不佳、神情慌亂，算命師馬上就可以斷定她丈夫有外遇；未婚女子前去問姻緣時，若是愁眉不眉，算命師不必掐指也可判斷出她的男友有點花；一個精明能幹寫在臉上的女人去算命，算命師也會根據「看來得人疼的女人才好命」的傳統經驗法則，認為她的強悍必導致婚姻不幸。當然，算命師的解釋和他對妳的直覺印象一定有關。

為愛情算命的效用其實蠻低的：告訴你那個人不好也沒用，你會為他去算命，就表示你不能捨；告訴一個處在三角問題的人A比B好，她或許會因而給A加幾分，但若個性本身優柔寡斷（會去算命的人本身多半已優柔寡斷），你一樣無法果決的棄B而擇A。算命師鐵口直斷容易，你處理感情的糾葛難。

有些算命師很聰明，專說好話，但也會遇到「不上道」的怪客人。

我的朋友陪她阿姨到茶藝館算命，就目睹了這樣的場面：阿姨恭敬遞上先生的命盤，算命師一看，滔滔不絕的讚美：「這人五十歲以後會大發，六

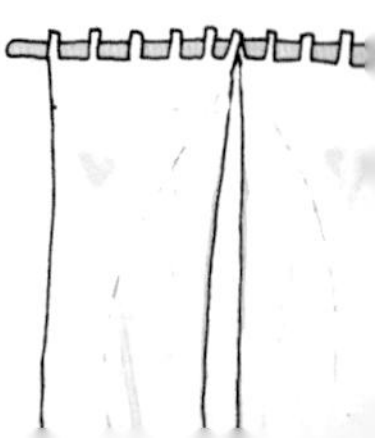

十歲之後事業更會鴻圖大展、七十歲福祿雙全……一直到八十歲，都會福福泰泰、健健康康、無病無憂！」

阿姨有點尷尬的提醒大師：「可是他身體不太好……」

「不會不會，那只是小毛病，注重保養就好了，不用擔心！我看他如果現在多運動，八十歲還可跑馬拉松！太太妳不用擔心！」

「可是他身體真的不太好……」

「真的別擔心……」算命仙一再強調，阿姨跟著她老公，一定會倒吃甘蔗！

最後，阿姨忍不住鎮重面告大師：「可是我丈夫因為腦血管破裂變成植物人，已經躺了十年了！」大師才閉了嘴，很有修養的把紅包裡的錢退回去。

這位阿姨命很苦。丈夫能動時，外遇不斷；不能動時，只有她要負起照顧的擔子。她早已認命，拿丈夫命盤算命，不過是打發時間，看看算命師準

她早已認命，拿丈夫命盤算命，不過是打發時間，看看算命師準不準。

不準。

不要讓不幸的預言應驗

拿算命當娛樂，也沒什麼不可以，只希望你得到的結果，不會把好好的愛情運給算掉了。過去，不知道有多少女人，把十幾年或幾十年光陰投資在算命師「妳這人注定是細姨命」這句話上，莫名其妙當了很久很久的第三者。

如果你真的喜歡算命玩玩，也請找一個「喜鵲型」的算命師，不要找上烏鴉嘴！烏鴉嘴告訴妳，他很花心，妳就變得疑神疑鬼；妳既多疑，他更怕妳——兩人的關係變成惡性循環，詛咒是很容易應驗的！

千萬別算掉你的愛情運！人家的一句閒言閒語，你都那麼在意，何況是算命師的不幸預言？

賺得多的人請小心

你給別人越多他們「想要」的東西，他們就會給你越多你「需要」的東西。

——育格勒（美國演說家）

一個人賺得太多，來不及花，捨不得花，總不缺人替他亂花，在影劇版上，好像是一種定律。

還是青少年的青春偶像，就要替爸爸還上數百萬、上千萬的債，這樣的情節，出現的機率還真頻繁。真叫人為這些賣力工作的漂亮男孩女孩，覺得辛酸。當你大紅大紫時，在影劇圈賺錢縱然再容易，可也不是一帆風順、不必費力。

更讓人辛酸的是，有些人雖然在影劇圈，賺的卻沒比上班族多多少，每

理財態度也是一種人生態度，有原則，才能贏得真情真義。

日要維持光鮮體面，開銷不小，忽然被親友拿去做人頭，然後惡性倒閉，就有無數的債主找上門來，兄債弟還。有的關係還扯得真離譜，以前還有人以黎明的堂兄欠錢為由，要他代為還債，大明星根本不知道，自己哪裡有這門親戚。

有位經紀人親眼目睹了一個故事：他旗下曾有一位紅極一時的青春偶像，很有孝心的邀請親戚參加母親的生日宴會。席間，偶像的妹妹伸手向媽媽要了二十萬，轉眼間便一疊一疊的發給所有的同輩，發完了，還跟母親要，母親忍不住說了妹妹兩句，妹妹馬上頂嘴：「我哥哥會賺錢，我幫他花，妳管我？」

這位青春偶像後來幾經浮沈，大概也體會了人情冷暖。如果他再次崛起，大概也學會了：別把親友關係，變成糖果與蒼蠅的關係。

賺得多的人是要有原則的，而且要懂得把理財原則把握得恰到好處，既不能被嘲為鐵公雞，也不能被當成聚寶盆。

理財也是一種人生態度

每一個家庭裡，總有一個「賺得多的人」，經濟能力如果太懸殊，問題必然會產生。有人把夫妻間的關係形容成權力鬥爭，賺得多的人，很容易取得「上風」的地位。從前，賺得多的人通常是男人，確實可以享有一些優越感，回家之後，太太馬上彎腰拿拖鞋出來迎接，說：「您回來了，您辛苦了。」這樣的情節，現在大概只有在「經典日劇」裡頭可以看到。真實的世界中賺得多的人，卻常變成「能者永遠多勞」，而且未必會贏得感激。

有的人賺得太拚命了，忘了投資一些在自己身上，另一半為了證明自己也有賺錢的能力，拿去理財、買股票或做生意，不但虧空，而且還負下大筆債務，也導致婚姻危機。這樣的例子，對股票族來說，是家常便飯。

有的男人賺得多，就覺得當家庭主婦的太太在家裡像個米蟲，不了解做家事也是很辛苦的，口氣裡有意無意的顯露出他的鄙視。孩子撞了點小傷，

賺得多的人是要有原則的，而且要懂得把理財原則把握得恰到好處。

他會說：「真不知道妳每天在家是在幹什麼？」使另一半覺得自己像個沒領薪水的菲傭，為感情犧牲自己的前途真是不值得。

有的女人賺得比先生多，為了讓另一半在自尊上過得去，出手十分大手筆，態度又過於卑躬屈膝。我看過一位在工作上很有原則的女強人，在自己經營的公司已有財務窘境時，竟還簽支票幫男友買了一輛賓士車，自己則拚了命到處告貸。

如果可以在家中安裝測謊器，賺得多的人，應該常會聽到「我喜歡你賺的錢，但討厭你那種優越感」這樣的話。

如果你賺得多，你確實有支配自己財務的自由；但務必要不時拿大事小事問問你的伴侶，他的意見如何？美好生活畢竟是兩人的共同創作。你不能讓另一半覺得，你在股票市場賠了一百萬可以若無其事，而她買了一件五千元的毛衣就是罪大惡極的奢侈；你不能借朋友大錢非常爽快，給老婆買菜錢要她三催四討，這樣下來，遲早感情會破裂。

你也得婉轉而堅持的讓「相關人士」知道你的堅持。那是你的勞力、你的付出。有個相當成功的企業家十分堅持「借錢沒有、做保不行，但在你困難時，我雪中送炭，你不要還」的原則，多少年來，並無錢財困擾，也無人怨他涼薄。

理財態度也是一種人生態度，有原則，才能贏得真情真義。

如果可以在家中安裝測謊器，賺得多的人，應該常會聽到「我喜歡你賺的錢，但討厭你那種優越感」這樣的話。

世界用同樣眼光看你

人生有如擲迴力鏢的遊戲。我們的思想言行，遲早會絲毫不差朝我們回來。

——F.S.S

俄羅斯人、德國人、日本人和美國人遇到船難，一起漂流到荒島上，他們一起撿到一個阿拉丁神燈。

神燈說：「我的能力有限，不能救你們出去，但我可以答應你們每個人一個願望，只要你跳進沼澤的時候，大喊一聲你最喜歡的飲料，你就可以好好的享受一番。」

俄羅斯人高喊「伏特加」，果然痛飲了一番。德國人如願以償的喝到了啤酒。

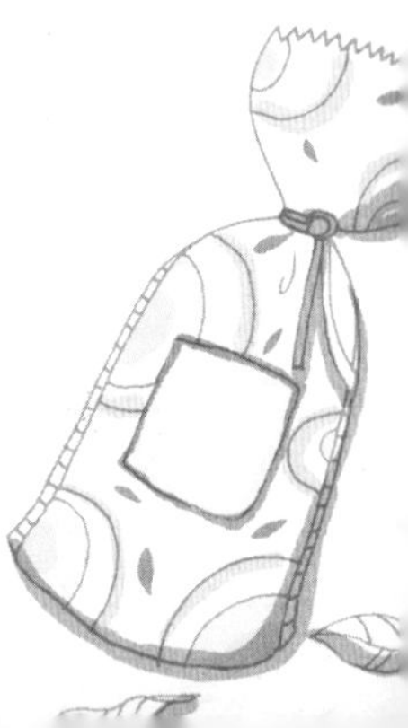

日本人將清酒喝個飽。美國人心想，他可以把可樂喝個夠，但他跳進沼澤前，被石頭絆了一下，因而，他喊了一聲：「shit!」於是……

◆

你用什麼眼光看世界，世界就會用同樣的眼光對待你。一個人的人際關係太差，往往是咎由自取。

我碰過很多一抱怨起別人就不會自動打句點的人。他們常常形容自己「愛恨分明」，其實是恨意分明。

他們的個性都有共通點：先認定別人對自己一定不懷好意，一副「江湖人心險惡」的口吻，常常像龍門客棧裡的俠客，提防著對準自己頭顱射來的飛鏢。

好不容易盼到一支飛鏢，他們就會對自己說：「果然跟我想的一樣，被我料到！」

面對一個善於猜疑的人，人們很難對他說實話；面對一個充滿防衛心的

你用什麼眼光看世界，世界就會用同樣的眼光對待你。

人，我們也不自主的在他面前穿上自衛的盔甲；面對一個拿刀在街上走的人，我們若不能閃避，也只能兵刃相向。

你怎麼對人，別人就怎麼對你

有位以「毒舌派」聞名，非常風趣的廣播前輩說：他的聽眾call in進來，說的話越來越毒，有的已經讓他無法接招。對此事他自我反省了一番嘆了口氣道：「真是什麼人培養什麼聽眾群。」

一般人沒法靠耍嘴皮吃飯。舌頭太毒，往往毒到自己。

說話太刻薄的，人家總會找刻薄話頂他。

多疑的人，人家有事會盡量防他，以免自找麻煩。

天天擔心情人背叛的，最後總會「夢想成真」，情人會因受不了壓力，不得不背叛他。

過於嚕嗦，怕孩子聽不到他教誨的父母會發現，孩子真是練就了「有聽沒有到」的耳膜功夫。

你認定人心險惡，不免就會用一張狐疑陰霾的臉面對世界，別人只能懷疑你是否另有企圖，豈能微笑迎接？

你如果認定人生不值得活，人生一定越來越不值得活。

世界總用你的價值觀來對待你。

《認眞玩個愛情遊戲》

女人和愛情都正在進化——
妳可以浪漫，更需要實際，
努力的工作，開懷的享樂，
信仰愛情第一，金錢至上，
請看吳淡如為妳提出的——
愛情、觀念和生活點子。

定價170元

《校園戀愛學分》

吳淡如的《校園戀愛學分》
將提供你戀愛滿分的四大必修學分：

- 想你在心口難開——開口的原則
- 欲推欲就心不安——婉拒的理由
- 相愛容易相處不難——相處的藝術
- 依依不捨難分離——割捨的美學

定價180元

《人生以快樂爲目的》

提供你人生的十大快樂守則：

夢想——遠離顛倒夢想
人生——人生微積分
規劃——生涯不規劃
困難——預設困難症候群
人緣——不必討好每個人
親情——他們都是為了你？
競爭——再見，模範生！
給予——先「發」制人
挫折——負責，但不自責！
變局——何必看回頭

定價180元

《眞愛非常頑強》

提供你捍衛愛情的十九道幸福致勝法寶：

付出——好女人製造男性生活低能症
願意——你心「乾」情「怨」過一生？
夢想——人人心中一座麥迪遜之橋
糾纏——小狗，別咬自己尾巴
E Q——你的情緒智商及格嗎？
傾聽——以智慧，施恩惠，很實惠
逃避——有些男人喜歡逃避承諾
交換——女人拿身體換承諾
溝通——男女溝通不是說服

定價180元

《給愛一條活路》

本書提出三道破除愛情魔咒的錦囊妙招：
兩性幽默——每個愛情都有趣
危險關係——每個愛情都危險
愛情CQ——每個愛情都要有創造力
充分運用這些妙招，讓你在與異性相處時，擁有最和諧的關係，最美好的愛情和最圓滿的結果。

定價190元

《非常誠實有點毒》

本書提供你如何快樂生活的三帖完全開心處方：
1 愛情不能讓你快樂，如果你自己不開心
2 環境不能讓你快樂，如果你自己不開心
3 朋友不能讓你快樂，如果你自己不開心
善用這三帖開心處方，保證讓你人生中的各種疑難雜症，藥到病除，心情快樂無比。

定價180元

《自戀總比自卑好》

吳淡如透過本書為我們重新解讀：
「自戀」其實不是我喜歡有什麼不可以，
「自戀」更不是自我膨脹目中無人；
「自戀」其實是願意給自己多一點的機會和時間，
「自戀」更是有能力和自信選擇愛與被愛。
讓我們跟「自卑」say good-bye，
開心的看待全新的自己。

定價190元

《活得更聰明》

混亂的世界中，
想得越清楚，
就能活得越開心，
讓我們撥開雲霧，
學會學校沒有教的事：活得更聰明！
吳淡如相信，人生若不快樂，就不值得活，
但是，快樂可不是鬼混裝傻，真心的快樂需要一顆更清醒的、懂得思考的心。

定價190元

《創造好心情》

人生其實可以更簡單，只要你能：

- 觀察壓力，善待自己
- 治療「人際關係花粉熱」
- 懂得感情世界的溝通與談判
- 承認欲望，與心靈真情相對
- 無論如何，總要往好處想

樂天不是膚淺，在陷入僵局時，再想一次，就不會那麼慘。

定價200元

《愛情以互惠爲原則》

一般人談戀愛，常不知不覺的以「互毀」為原則，然而，真正的愛是尊重，是成長，是如魚得水，是不愛之後，還希望他活得好。如果想要在愛中成長，我們要學習：

- 打破完美主義的假象
- 別找錯愛情專家
- 幸福的首要條件

定價210元

《新快樂主義》

有自信的人，才會真正尊重人，活得開心，人人願意和你在一起；別把生活的臉孔繃得太緊，愛自己，人人更愛你。請看吳淡如的新快樂主義：

- 腦袋清楚，活得舒服
- 拿捏分寸，人人信任
- 先愛自己，他更愛你
- 放過小事，計較大事
- 尋找定位，解放胸襟

定價210元

The Eurasian Publishing Group
圓神出版事業機構
用心與你對話・視野無限寬廣
方智出版社
Fine Press
http://www.eurasian.com.tw

自信人生 05

重新看見自己

作　　者／吳淡如
發 行 人／曹又方
社　　長／李敏勇
出 版 者／方智出版社股份有限公司
地　　址／台北市南京東路四段50號6F之1
電　　話／（02）2579-6600・2579-8800・2570-3939
傳　　真／（02）2579-0338・2577-3220・2570-3636
郵撥帳號／13633081　方智出版社股份有限公司
責任編輯／呂燕琪
美術編輯／黃昭文
校　　對／吳淡如・沈素娟・呂燕琪
內頁插圖／萬歲少女
法律顧問／圓神出版事業機構法律顧問　詹文凱律師
印　　刷／祥峯印刷廠
2000年8月　初版
2000年9月　3刷

定價 200 元　ISBN 957-679-713-6

國家圖書館出版品預行編目資料

重新看見自己／吳淡如作. -- 初版. --
臺北市：方智，2000〔民89〕
面； 公分. --（自信人生：5）

ISBN 957-679-713-6（平裝）

1.自我實現（心理學）2.生活指導

177.2 89008676

廣　告　回　函	
北區郵政管理局登記 證北臺字1713號	
免　貼　郵　票	

105

台北市南京東路四段50號6樓之一

圓神、方智出版社　收

寄件人：

地址：　市/縣　鄉鎮/市　市（請用阿拉伯數字書寫郵遞區號）

路（街）　段　巷　弄　號　樓

電話：（宅）　（公）

圓神、方智出版社——讀者服務卡

閱讀時光，無限美好。

謝謝您也歡迎您加入我們！爲了提供您更好的服務，**我們將不定期寄給您最新出版訊息、優惠通知及活動消息**，但是要先麻煩您詳細填寫本服務卡並寄回本公司（免貼郵票）。

＊您購買的書名：______________________

＊購自何處：　　　　　市（縣）　　　　　書店

＊您的性別：□男　□女　　　婚姻：□已婚　□單身

＊生日：　　年　　月　　日

＊您的職業：□①製造　□②行銷　□③金融　□④資訊　□⑤學生
□⑥傳播　□⑦自由　□⑧服務　□⑨軍警　□⑩公
□⑪教　□⑫其他____

＊您平均一年購書：□①5本以下　□②5-10本　□③10-20本
□④20-30本　□⑤30本以上

＊您從何得知本書消息？
□①逛書店　□②報紙廣告　□③親友介紹　□④廣告信函
□⑤廣播節目　□⑥電視節目　□⑦書評　□⑧其他____

＊您通常以何種方式購書？
□①逛書店　□②劃撥郵購　□③電話訂購　□④傳真訂購
□⑤團體訂購　□⑥銷售人員推薦　□⑦信用卡　□⑧其他____

＊您希望我們爲您出版哪類書籍？
□①文學　□②普通科學　□③財經　□④行銷　□⑤管理
□⑥心理　□⑦健康　□⑧傳記　□⑨婦女叢書　□⑩小說
□⑪休閒嗜好　□⑫旅遊　□⑬家庭百科　□⑭其他_____

給我們的建議：

圓神出版社　劃撥：18598712　帳戶：圓神出版社有限公司
方智出版社　劃撥：13633081　帳戶：方智出版社股份有限公司
電話：(02) 2579-6600　傳真：(02) 2577-3220